JE NE SUIS PAS EN SUCRE !

Pour Alice U., première lectrice.
Merci pour ton enthousiasme !

Avis aux lecteurs

Vous êtes nombreux à nous écrire
et nous vous en remercions.
Pour être sûrs que votre courrier arrive,
adressez votre correspondance à :

Bayard Éditions Jeunesse
Collection Cœur Grenadine
3 / 5, rue Bayard
75008 Paris.

Cœur Grenadine

JE NE SUIS PAS EN SUCRE !

ELSA DEVERNOIS

BAYARD JEUNESSE

BIOGRAPHIE

Après avoir désiré successivement devenir fée (ou sorcière), danseuse en tutu rose ou encore graveur de gaufrettes, Elsa Devernois s'est finalement dirigée vers l'écriture pour les enfants. Ce n'est déjà pas si mal.
Ses textes sont régulièrement publiés dans des magazines. Elle écrit également des albums et des romans, édités à l'École des Loisirs, chez Nathan et chez Flammarion.

Loi n° 49-956 du 16 juillet 1949
sur les publications destinées à la jeunesse
Dépôt légal juin 2001

ISBN : 2 747 004 15 5

Impression réalisée en France sur CAMERON par BRODARD ET TAUPIN
La Flèche en avril 2001
N° d'Éditeur : 6787 – N° d'impression : 6935

Chapitre 1

C'est bizarre, la façon dont naissent les amitiés. Regardez, par exemple, Margaux. Elle est assise à côté de moi dans le bus. Et c'est justement à cause de ce bus, qu'on prend ensemble tous les matins pour se rendre au collège, que nous avons commencé à nous parler. D'accord, nous sommes dans la même classe. Mais, sans cette coïncidence, nous ne nous serions peut-être jamais adressé la parole. En réa-

lité, on a peu de choses en commun. À l'école, elle est surnommée l'« intello ». C'est dire ! Même si ça ne l'empêche pas d'être sympa, Margaux, les prises de tête, ce n'est pas vraiment mon genre.
De toute façon, moi, j'aurais assez tendance à trouver tout le monde sympa. Sauf, évidemment, ceux qui cherchent à humilier les autres pour s'amuser. Heureusement pour moi – je touche du bois –, je n'en ai jamais rencontré. Émilie, qui se disait ma copine lorsque j'avais sept ans uniquement parce qu'elle voulait que je l'approvisionne en bonbons, ça ne compte pas : ce n'était qu'une gamine.
Bref, ce matin-là, je suis dans le bus, à côté de Margaux, et pour la millième fois depuis qu'on se connaît je me lamente à propos de ma mère. Ou plutôt à propos du fantôme qui me sert de mère. Il faut préciser qu'on est lundi, et que je viens une fois de plus de passer un week-end catastrophique.
– Je me suis encore ennuyée comme un rat mort, samedi. Quand il n'y a personne à la maison, j'ai envie de rien faire. Ma mère m'a appelée trois fois du resto pour me demander si ça allait. Pour l'embêter, j'ai

répondu non, en prenant une voix de plus en plus triste. Du coup, elle m'a promis : « Je vais essayer de me libérer. » Mais elle est quand même rentrée à pas d'heure, comme d'habitude. Par-dessus le marché, il n'y avait rien dans le frigo. Un comble pour une restauratrice ! Je te laisse deviner qui s'est tapé les courses et a mangé toute seule à midi et le soir.

Margaux connaît ce discours par cœur. Elle y a droit tous les lundis. Pour me remonter le moral, elle positive, comme elle dit :

– De quoi tu te plains ? Ça t'apprend à être autonome.

– Tu parles ! Ça m'apprend à devenir bonniche !

– Allez, je suis sûre que tu seras une parfaite petite femme d'intérieur pour ton futur mari !

– Faudra qu'il n'aime que les tranches de jambon sous vide, les yaourts et les pâtes, alors.

Le coup du futur mari, c'est notre pierre d'achoppement. Moi, bien sûr, comme toutes les filles de mon âge, je rêve de rencontrer le prince charmant. Margaux, non. Elle dit qu'elle a bien le temps. À quinze

ans, elle préfère ses livres ! Quand je vous dis que cette fille est une martienne !
Ce qui ne l'empêche pas d'avoir toujours un avis sur tout : comment gérer le premier rendez-vous, comment ne pas se laisser marcher sur les pieds, comment ne pas rester scotchée près du téléphone en attendant que le mec appelle, etc. Une vraie encyclopédie ! Elle a souvent un jugement assez juste, d'ailleurs. Mais il n'est que théorique. Pourquoi ne le met-elle pas en pratique pour elle ? Mystère ! Elle préfère vivre l'amour par copines interposées.
D'un autre côté, avec ses bouquins, elle ne subit pas d'infidélités. Elle vit avec, elle dort avec et quand elle a fini leur histoire, elle les largue. Et parfois même en cours de route ! Elle seule décide !
Aujourd'hui, je suis plus remontée que jamais. Je ne décolère pas :
– Non, mais tu trouves ça logique, toi, d'avoir des enfants pour ne jamais les voir ?
Je n'écoute pas la réponse de Margaux. Je viens de croiser le regard du garçon installé en face de moi. Il me fixe, mi-charmeur mi-ironique, en faisant danser une paire de lunettes de soleil au bout de ses doigts. Il a

des yeux, mon Dieu, je n'ai jamais vu de splendeurs pareilles ! On lui a greffé des diamants dans les orbites, ou quoi ? Une merveille !
Depuis combien de temps est-il à cette place, sur cette banquette ? Sans doute depuis le début. Je ne me souviens pas de l'avoir vu s'y asseoir. Il devait être là avant qu'on s'installe, Margaux et moi. J'aurais dû le remarquer, pourtant. Un type dans un bus, avec un casque de moto sur les genoux, ce n'est pas courant.
Il a suivi notre conversation. Tout à coup, je me trouve ridicule. Ou plutôt, je pense qu'il me trouve ridicule. Ça devrait m'être égal. Je ne le connais pas, et je ne le reverrai sans doute jamais ! Pourtant, je me sens mal à l'aise. Il doit avoir au moins dix-neuf ans. Et voilà qu'il subit les jérémiades d'une gamine à propos de sa mère. Le pauvre ! J'ai l'impression désagréable d'être un bébé geignard. Une mioche qui a encore besoin que sa maman lui tienne la main pour s'endormir. Quelle honte !
Soudain, j'ai envie de ne plus paraître godiche. D'être quelqu'un d'autre. Son sourire goguenard m'agace. C'est ça, je

vais lui laisser croire qu'en réalité, je suis une fille qui assure.
Je me tourne vers Margaux et je lui confie en parlant fort :
– Je plaisante ! Elle est vachement confortable, ma situation. Tu vois, avec ma chambre indépendante, je peux faire tout ce que je veux. Ma mère n'y entre jamais. Elle n'est pas du genre à venir fouiller dans mes affaires en cachette. Elle me fait entièrement confiance. En plus, je ne l'ai jamais sur le dos. Le bonheur, quoi !
Margaux croit halluciner, ça se voit. Je lui raconte tout le contraire de ce que je lui serine habituellement. Elle écarquille les yeux. Elle doit se demander si c'est bien moi qui ai parlé, si je ne suis pas devenue tout d'un coup une marionnette manipulée par un quelconque Gepetto. Pour une fois que je positive, elle ne va pas râler, quand même ! En plus, tout ce que je viens de dire est exact ; c'est juste une autre manière de voir les choses.
Tandis que Margaux reste médusée, je jubile. Le type a troqué son sourire railleur contre un sourire, disons, enjôleur. J'ai gagné.

Chapitre 2

Il est descendu au même arrêt que nous. Lorsqu'il a sauté sur le trottoir, ses lunettes se sont échappées de la poche de son blouson pour tomber à mes pieds. Oserai-je ? Allez, oui ! Je les ramasse et je le hèle :

– Excusez-moi, vous avez perdu ça.

Il se tourne vers moi. Son regard magnifique me transperce une nouvelle fois. Je lui tends ses lunettes ; ma main tremble un peu.

– Merci, me dit-il en saisissant délicatement l'une des branches.
Maintenant, il va partir, et je ne le reverrai plus jamais. C'est trop bête. Je me lance :
– Vous gardez toujours votre casque pour voyager en bus ? Au cas où il y aurait un accident, peut-être ?
Il sourit de toutes ses dents blanches :
– Je ne prends jamais le bus. Mais, en ce moment, ma moto est au garage. Puisque tu veux tout savoir, là, tu vois, je vais la récupérer.
– Ah ! fais-je bêtement.
Plus nul que ça, tu meurs ! J'aurais voulu commenter ce qu'il m'a confié. J'aurais voulu lui paraître drôle, pertinente, mais aucun bon mot ne me traverse l'esprit.
Je n'ai pas envie qu'il s'en aille. Et ces satanés cours qui commencent dans cinq minutes ! J'enrage. Je jette un coup d'œil vers le collège. Margaux se tient devant le portail. Elle m'attend. Elle désigne sa montre. Je l'entends presque marmonner : « Mais qu'est-ce qu'elle fabrique ? Elle arrive ou quoi ? »
Je balbutie :
– Bon, faut que j'y aille !

Ni drôle ni passionnant. Heureusement, il rebondit sur cette dernière phrase :
– Tu es au collège ?
D'accord, c'est pas du Proust, comme dirait Margaux, mais ça a le mérite de relancer la conversation. Et, cette fois, je ne laisse pas passer ma chance :
– Oui, en troisième.
Et je commence à raconter ma vie. Je débite des phrases et des phrases. Surtout ne pas m'arrêter. Hélas, il me coupe dans mon élan :
– Y'a ta copine qui t'appelle.
Je me suis pourtant arrangée pour tourner le dos à Margaux. J'espérais qu'elle se lasserait de m'attendre et qu'elle entrerait en classe sans moi. Mais non, cette imbécile a tout fait rater. Je vais l'étriper, la réduire en bouillie, l'écraser sous mes semelles. Je la déteste ! À cause d'elle, mon beau motard va maintenant disparaître pour toujours.
Je baisse la tête :
– Bon ben, j'y vais.
– Bon ben, salut !
Il serre son casque sous son bras :
– Bonne journée !
Je tourne les talons quand, dans mon dos,

j'entends cette phrase, comme dans un rêve :
– Tu sors à quelle heure ?
Je m'écrie :
– Cinq heures !
Je suis sur un petit nuage quand je rejoins Margaux, toujours droite comme un i devant son portail.

Chapitre 3

Margaux s'est assise à côté de moi en cours. Elle n'en revient pas :

– C'est pas vrai ! Il t'a demandé à quelle heure tu sortais ?

Je plane toujours… Jusqu'à ce que Margaux lâche, dubitative :

– Remarque, ça ne veut rien dire. Peut-être qu'il ne viendra pas te chercher.

Quelle rabat-joie !

– Il t'a peut-être juste demandé ça comme

ça, pour faire poli… Si ça se trouve, il va oublier… Ou il aura autre chose à faire… S'il n'est pas là à cinq heures, tu l'attends combien de temps devant le bahut ? Jusqu'à la tombée de la nuit ?

Elle m'agace :

– Et si, et si, et si ! Lâche-moi les baskets ! On verra bien.

Je ne vous ai pas menti : si Margaux ne s'intéresse pas aux garçons pour son cas personnel, pour les autres, elle n'est pas avare d'opinions. Surtout négatives, en l'occurrence.

Elle a dû sentir qu'elle cassait l'ambiance, elle essaie de se rattraper :

– Il n'a pas arrêté de te regarder, dans le bus.

Je remonte sur mon petit nuage. Alors, c'était bien vrai ! Je ne l'avais pas inventé. Ça, aujourd'hui, pour que je les écoute, les profs, ils auront intérêt à se surpasser. Il leur faudra être plus intéressants que mes douces rêveries. Bon courage !

Se croyant maligne, Margaux poursuit :

– Tu fais des infidélités à Romain, alors ?

Ah, Romain ! Notre sujet de plaisanterie favori. Dans mes moments de bonne

humeur, en tout cas.
Comment expliquer ? Romain est mon amoureux transi, mon chevalier servant. Toujours aux petits soins pour moi. Mais jamais un baiser, jamais une déclaration ; tout dans le regard. Autant dire qu'il ne s'est rien passé entre nous depuis qu'on se connaît. Je ne vais quand même pas me jeter à son cou sous prétexte qu'il est timide et qu'il n'arrive pas à faire le premier pas. Qu'il assume son rôle de garçon, à la fin !
Bien sûr, je le trouve sympa, Romain. Mais je n'arrive pas à tomber amoureuse de quelqu'un qui s'efface autant. Je l'aime bien, c'est tout.
Margaux, ça l'amuse. Tous les jours, elle attend qu'il se déclare. Et tous les jours, elle joue les fausses déçues : « J'ai bien cru que ça y était quand il t'a demandé de lui prêter ton livre. J'espère que, quand il te le rendra, il glissera un message ruisselant d'amour à l'intérieur. »
Elle délire, ce serait beaucoup trop audacieux de la part de notre Romain le timide !
Il faudra tout de même que je vérifie toutes les pages une par une, au cas où il aurait souligné un mot à double sens.

De toute manière, aujourd'hui, Romain ne m'intéresse pas. Mes pensées se sont focalisées sur le beau ténébreux aux lunettes noires. Dire qu'il ne prend jamais le bus, et que justement ce matin... Et s'il ne s'était pas assis en face de moi ? Et s'il m'attendait vraiment ce soir à la sortie du collège ? Et si ? Et si ? Et si ?

Chapitre 4

Dix-sept heures. Fin du dernier cours de la journée. Je suis la première à ranger mes affaires et à m'élancer hors de la classe. Une flèche !
Dans le couloir, Romain me hèle :
– Hé ! Juliette !
Oh, non ! Il ne va pas se déclarer aujourd'hui !
Je crie :
– Pas le temps !

Et je m'enfuis à toutes jambes en dévalant quatre à quatre les escaliers.
Passé le portail, je m'arrête net. Pas de moto ! Pas de beau ténébreux ! Que mes yeux pour pleurer. C'était bien la peine de me dépêcher ! Pourquoi m'avoir fait miroiter je ne sais quel rendez-vous ? Pourquoi m'avoir fait croire à un début de commencement d'histoire d'amour ! Je déteste tout le monde.
Ultime humiliation, Romain me rejoint. Je l'ai envoyé bouler, et à présent, je suis là, immobile et stupide devant le collège. Il me demande, étonné :
– Tu n'es pas encore partie ? Je croyais que tu étais pressée ?
De quoi je me mêle ? Ah ! Ce n'est vraiment pas le moment de m'énerver. Et puis, tant pis, c'est lui qui va faire les frais de ma mauvaise humeur. Je m'apprête à le traiter de tous les noms quand, bip ! un coup de klaxon me fait tourner la tête. Une moto vient de s'arrêter près de moi, au bord du trottoir. Le pilote ôte son casque, me sourit. C'est LUI !
– J'avais peur d'arriver en retard !
Mon visage s'illumine :

– Tu es à l'heure !
Je ne sais pas comment j'ai réussi à prononcer ces mots. Mon cœur bat tellement fort qu'il va exploser, c'est sûr ! Attention ! Je vais défaillir.
Il est venu ! Il a tenu sa promesse, même s'il ne l'avait pas rigoureusement faite. Je me retiens pour ne pas me jeter à son cou… ce que j'ai eu envie de faire toute la journée. Je suis tellement heureuse !
Margaux apparaît au loin. C'est bête, mais je ne peux pas m'empêcher de penser : « L'honneur est sauf ! » Il ne s'agit pas d'honneur, en réalité. Mais c'est vrai que je me serais sentie tellement humiliée s'il m'avait posé un lapin.
Il est descendu de sa moto, il ouvre à présent le petit coffre situé à l'arrière de son véhicule et il en sort un deuxième casque. Il me le tend :
– Je t'emmène ?
Où il voudra, j'irai ! Même au bout du monde !
Je n'arrive pas à parler. Trop d'émotion ! Je lui adresse juste mon plus beau sourire. Je prends le casque, et je me l'enfonce sur la tête. Vite, avant qu'il ne change d'avis.

Avoir le casque, c'est déjà l'avoir un peu, lui.
Margaux a rejoint Romain. Ils se tiennent tous les deux côte à côte sur le trottoir. Margaux reste bouche bée, interdite. Romain est hébété, comme s'il avait reçu un petit coup de marteau sur la tête.
Je grimpe à l'arrière de la moto. Je ne suis jamais montée sur un tel engin. J'ai entendu parler qu'il fallait se pencher dans les virages. Mais de quel côté ? Pourvu que je n'aie pas l'air trop godiche !
– Au fait, je m'appelle Greg. Et toi ?
Je bégaie :
– Euh… Ju… Juliette.
– Alors, Juliette, accroche-toi bien à moi. On lève l'ancre !
Mes bras entourent son corps. Je pose ma tête casquée contre son dos. Je ferme les yeux. Je suis au paradis.

Chapitre 5

La moto s'arrête devant un café : Le Rocamadour.

– Mon Q. G., m'annonce Greg.

Devant mon air interloqué, Greg rigole :

– Q. G., quartier général ! C'est ici que je retrouve mes potes. Viens, je vais te présenter.

Me présenter ? On ne se connaît pas encore, et il me montre déjà à ses potes. C'est royal !

Greg entre dans le troquet. Il semble à l'aise comme s'il en était lui-même le patron.
Il serre la main du barman. Puis il dit :
– Stanislas… Juliette. Juliette… Stanislas. Tout le monde l'appelle Stan.
Et il ajoute à l'attention du dénommé Stan :
– Les autres ne sont pas là ?
Stan fait non de la tête.
– Très bien, reprend Greg. On va s'installer là-bas. Personne ne nous dérange, O. K. ?
Il vient d'indiquer un endroit sombre, où trois banquettes entourent quatre tables de bistro. D'un geste tout naturel, il passe alors son bras autour de ma taille et nous nous dirigeons vers le petit coin tranquille, à l'abri des regards.
– Tu bois quoi ?
Qu'est-ce que je vais pouvoir demander pour ne pas passer pour une demeurée ? Pas une grenadine, ça fait bébé. Le jus de tomate avec son sel de céleri, ça fait mémère. Le café, j'aime pas.
– Un Coca !
Ça, ça fait fille de mon âge.
À propos d'âge, je commence à complexer.

Je me sens si gamine à côté de Greg ! Il a déjà de la barbe. Il paraît si sûr de lui. C'est presque un homme. C'est à la fois rassurant et troublant. Je me lance :
– Tu as quel âge ?
– Quel âge tu me donnes ?
– Euh… Dix-neuf ans.
– Pile poil !
Ça va, dix-neuf ans. Il n'y a pas un si grand écart entre lui et moi, finalement. On n'aura pas l'air ridicule si on se promène main dans la main dans la rue. Jusqu'à présent, je n'ai pas connu de vraie histoire d'amour. Que des petits flirts de rien du tout avec des garçons de mon âge. Rien de très palpitant…
Ma conscience interrompt mes pensées : « Halte-là, Juliette ! Tu es en train de te faire un film. Qui te dit que ce garçon a pensé amorcer quoi que ce soit avec toi ? Il t'invite juste à prendre un verre. Il t'a trouvée sympa, c'est tout. Vous allez parler, chacun va rentrer bien sagement chez soi, et voilà ! Qu'est-ce que tu vas imaginer ? Depuis ce matin, tu sautes comme un cabri. Tu te figures avoir rencontré l'homme de ta vie,

ou quoi ? Tu délires, ma fille ! Allez, Juliette, reprends-toi ! »
D'accord, on se calme. On laisse venir les événements. S'il se passe quelque chose, tant mieux. Sinon, on retourne à nos chères études avec un petit souvenir agréable. Et basta.
Mais, je rêve, ou sa main vient d'effleurer tendrement mes lèvres ?

Chapitre 6

Il m'a embrassée. C'était un vrai baiser, et je me suis laissé faire. J'en avais tellement envie. Il est plus rapide que Romain ! Ce n'est pas le genre à te tourner autour pendant des mois avant d'oser t'effleurer la main.

Je suis bien dans ses bras. Il est doux, tout en étant déterminé. C'est agréable !

J'ai si souvent imaginé de rencontrer un homme, un vrai. Pas un blanc-bec timide qui rougit et qui s'y reprend à dix fois avant de te proposer un rendez-vous. Pas un petit mec qui ricane bêtement parce qu'il est gêné d'être en tête-à-tête avec toi. Pas un type de mon âge qui ne sait parler que de foot. C'est d'un garçon comme Greg que j'ai rêvé.

J'aurais voulu rester ainsi, blottie contre Greg, toute la soirée, toute la vie. Mais mon conte de fées prend fin à la tombée de la nuit.
– Viens, je te raccompagne chez toi, ma puce.
Greg s'est levé. Il me tend la main et m'attire à lui. Un baiser langoureux dans le cou, et nous quittons le café, mon bras autour de sa taille, son bras entourant mes épaules. Nous regagnons sa moto. Un dernier baiser, casque, démarrage. De nouveau, je me colle contre son blouson tandis qu'il roule. Je demeurerais ainsi, serrée tout contre lui, pendant des heures et des heures. Mais la moto s'immobilise bientôt devant chez moi. Je suis obligée d'en descendre.
Greg soulève sa visière. Il me sourit. Avant de s'évanouir dans la nuit, il me demande :
– Tu sors à quelle heure, demain ?

Chapitre 7

À seize heures pile, le lendemain, Greg m'attend devant l'entrée principale du collège. Romain est à quelques mètres de nous. Je l'observe, mine de rien. Il fait semblant de fixer quelque chose au loin. Mais, sans cesse, son regard revient sur mon motard. Comme s'il était aimanté ! C'est peut-être sadique, mais ça me fait plaisir que Romain le dévisage. Ça me rend fière d'avoir été choisie par un type aussi beau

que Greg. J'aimerais que tout le monde m'envie. Que tout le monde voie combien je suis heureuse en ce moment. Tous ceux qui me prennent pour une gamine pas trop dégourdie de quinze ans – presque seize –, je voudrais qu'ils crèvent de jalousie. Eh oui ! La petite Juliette a réussi à se dégoter un flirt de dix-neuf ans. Mieux : le mec le plus magnifique de la terre !
Comme m'a dit Margaux ce matin :
« Attention au détournement de mineure !
– Tu parles ! On a à peine trois ans de différence. »
Ce n'est pas comme si c'était un vrai vieux ; je veux dire, un adulte, un type de quarante ans qui pourrait être mon père. Greg et moi, on est de la même génération. On aime la même musique, on connaît les mêmes choses.
D'ailleurs, pourquoi m'intéresserais-je à un garçon du collège ? Depuis que je sors avec Greg, je trouve tous les garçons de mon âge totalement insipides. Il n'y a que lui qui me plaise.
Margaux, à qui je n'ai parlé que de Greg toute la journée, a lâché, au bord du ras le bol :

– Dis donc, t'es vachement mordue. Je ne t'ai jamais vue comme ça !
Il faut dire qu'elle ne m'a jamais connue amoureuse de qui que ce soit non plus !
Ce soir, Greg m'accueille avec un grand sourire :
– Bonjour, ma puce !
Et il m'embrasse sur la bouche, comme ça, devant tout le collège. Trop classe !

Chapitre 8

– J'aurais un petit service à te demander, me lance Greg, les yeux rieurs.
– Si c'est dans mes cordes, pourquoi pas !
– Ce n'est pas vraiment compliqué. C'est plutôt marrant, même !
– Je t'écoute !
– Aujourd'hui, c'est l'anniversaire de Jean-Phi, un de mes meilleurs potes. On lui a monté un plan. Tu vas voir, on va lui faire ça dans les grandes largeurs.
Ce serait bien qu'il sous-titre, je ne com-

prends rien de ce qu'il me raconte !
Devant mon air interrogateur, il explique :
– Sa copine Alexia est censée arriver par le train de 19h35, alors il va sûrement aller la chercher. Ce qu'il ne sait pas, c'est qu'Alexia a débarqué ce matin pour lui faire la surprise. Nous, c'est-à-dire, toi, moi et quelques potes, on va aller le cueillir à la gare. Mais pas bêtement, comme ça. On va jouer les malfrats. Ça va mettre un peu de piment dans sa vie.
L'idée me semble amusante, mais je ne vois pas en quoi je peux lui rendre service.
– Qu'est-ce que tu attends de moi ?
– Comme il ne te connaît pas, c'est toi qui vas aller l'aborder. En fait, on a besoin de toi pour amorcer le scénario.
– Ah ? Vous avez déjà tout prévu !
– À peu près. Allez, je t'emmène chez Jibé. Y'a Seb et Alexia qui nous y attendent. On va tout te raconter.
Je grimpe sur la moto. C'est parti pour le plan malfrats !

*

Jamais de ma vie je n'ai passé de soirée plus palpitante.

Reprenons depuis le début.
Il est 19h40. Je suis à la gare, et j'observe discrètement ma victime. Tous les passagers sont descendus du train. Bien sûr, Alexia ne s'y trouvait pas, et Jean-Phi commence à se poser des questions. Il arpente le quai de long en large, poings serrés, visage soucieux. Au loin, Greg, long manteau et lunettes noires, caché derrière le kiosque à journaux, me fait un signe. À moi de jouer !
Je m'approche de Jean-Phi et je lui récite le texte qu'on m'a appris :
– Excusez-moi, monsieur. Vous êtes bien Jean-Philippe Devoldère ?
Il hoche la tête :
– Oui… euh… On se connaît ?
– Non, mais on m'a remis ça pour vous.
Je lui tends un morceau de papier plié en quatre. Il le lit.
– Qui vous a donné ça ? me demande-t-il.
Ça y est, le poisson mord à l'hameçon. Je réponds, évasive :
– Un type, là-bas ! Mais je ne le vois plus, il a dû partir.
Je sais ce qui est marqué sur le papier : « Si vous voulez revoir Alexia, suivez nos instructions. Téléphonez à… » C'est suivi du

numéro d'un copain de Jibé que Jean-Phi ne connaît pas.
Jean-Phi saisit son portable et compose le numéro. À l'autre bout du fil, notre complice lui intime l'ordre de serrer autour de ses yeux un foulard noir qu'il trouvera dans une cabine Photomaton de la gare. (Greg vient de l'y déposer.) Puis de ressortir de la cabine et de se laisser guider.
Voilà, mon rôle s'arrête là. Maintenant, Greg et son copain Seb vont passer à l'action. Cela me laisse juste le temps de filer chez Alexia, où va se dérouler la scène des retrouvailles.
D'après ce qui est prévu, Greg et Seb vont promener Jean-Phi dans toute la ville. Avec ses yeux bandés, il risque de perdre ses repères, le pauvre.

Une demi-heure plus tard, lorsqu'il arrive dans l'appartement d'Alexia, Jean-Phi a vraiment l'air complètement paumé. Seb vient de lui ôter le foulard des yeux, mais l'appartement est plongé dans le noir. Il n'y voit rien. Soudain, la lumière s'allume. Dans le salon, Alexia et tous ses copains – au moins une trentaine de personnes

– applaudissent sa performance et lui chantent: «Joyeux anniversaire». Il a les larmes aux yeux. Mais il semble soulagé.
Alexia lui lance en rigolant:
– Alors, qu'est-ce que tu t'es dit? T'as eu la trouille?
– J'ai eu un doute dans la voiture, explique Jean-Phi. En fait, j'ai reconnu l'odeur des sièges. C'est bien ta voiture, Seb?
Seb semble un peu déçu:
– Mince, on n'avait pas pensé à ce petit détail!
– Je te rassure, tout le reste était bien flippant! grimace Jean-Phi.
– On fera mieux la prochaine fois! lui promet Greg.
Quelqu'un met la sono en marche. Durant l'après-midi, le salon a été transformé en discothèque. Ils ont préparé le buffet, poussé les meubles pour aménager une piste de danse… Royal!
Je m'amuse comme jamais. Moi qui adore danser!

*

Hélas, il est tard et je vais devoir rentrer

chez moi. Je m'octroie encore quelques pas de danse, puis je rejoins Greg, qui discute avec ses copains. Je passe mes bras autour de sa taille et je me serre contre lui. Je le regarde. Il est beau. Je l'embrasse. Je l'aime. Il est tellement formidable ! Qui d'autre que lui aurait pu m'entraîner dans une aventure aussi déjantée ? Qui m'aurait permis de vivre un moment aussi étonnant ? Romain, qui manque d'imagination ? Les autres garçons de ma classe ? Pfff ! Ils sont juste bons à vous demander de les accompagner à un match de foot, dans le meilleur des cas ! Tu parles d'une partie de rigolade. Je me sens privilégiée d'avoir passé cette soirée aux côtés de Greg. Lui, au moins, il a le sens de la fête !

Chapitre 9

Cela fait sept semaines maintenant qu'on sort ensemble, Greg et moi. Et je suis toujours aussi amoureuse de lui. Il est tellement tendre ! Il se comporte avec moi comme si j'étais une poupée fragile. C'est si agréable ! Je ne connais personne de plus attentif que lui. Tous les jours, je me félicite d'avoir croisé son chemin. Et je bénis le sort qui a voulu que sa moto tombe en panne ce fameux lundi. Sans cela, il n'au-

rait pas pris le bus, et nous ne nous serions jamais connus. Je serais passée à côté du type le plus génial de la terre. À chaque fois que j'y pense, tout mon corps se met à trembler. Ça tient à si peu de chose, une rencontre ! Et si nous ne nous étions pas assises à ces places, Margaux et moi. Et si ? Et si ? Je préfère ne pas l'imaginer !
Greg est chez moi, avec moi, tout à moi. Lovée sur le canapé, je me serre contre lui. Dans ces moments-là, j'ai la certitude qu'il ne peut rien m'arriver. Je suis en sécurité. Protégé par un homme, un vrai, mature, comme j'en rêvais.
Nous avons beaucoup discuté depuis que nous nous connaissons. Je sais tout de lui. C'est marrant, il y a tant de choses qui nous rapprochent. Son père aussi a quitté la maison pour suivre une jeunette, abandonnant femme et enfant. Lui aussi avait l'impression qu'on ne le prenait pas au sérieux quand il avait mon âge. Lui aussi est fils unique. Lui aussi s'inventait des frères et sœurs pour tromper l'ennui. On a vécu tant d'événements similaires... Alors, il me comprend, et je le comprends. On est sur la même longueur d'ondes. On était vraiment

faits pour partager un moment de notre vie. Faits l'un pour l'autre ? Je ne le sais pas encore, mais sûrement. J'ose y croire. J'ose l'espérer au plus profond de moi.
Comme moi, Greg a des problèmes avec sa mère. Mais, contrairement à moi, il l'a tout le temps sur le dos. J'ai de la chance, je suis tranquille de ce côté-là, vu que ma mère tient un restaurant et qu'elle n'est jamais là. Greg, lui, a plutôt une mère étouffante. Il habite encore chez elle. Il préférerait avoir son propre appartement mais, même s'il travaille, il ne gagne pas suffisamment d'argent pour pouvoir s'en payer un. Du coup, il est obligé de composer avec sa mère.
– Il faut que je fasse attention à tout, me confie-t-il. Quand je ne suis pas là, elle fouille dans ma chambre. Tu te rends compte ! À mon âge, être encore surveillé comme un gamin !
La parade me semble pourtant évidente :
– Pourquoi tu ne fermes pas ta chambre à clé ?
Greg lève les yeux au ciel :
– On voit que tu ne connais pas ma mère… S'il savait comment je rêve en secret d'être

présentée à belle-maman, histoire d'officialiser notre relation.

– Elle le prendrait très mal, continue Greg. Et j'en aurais pour des heures de jérémiades : « Tu n'as pas confiance en moi. Moi qui t'ai élevé, qui t'ai tout donné, voilà comment tu me remercies ! » Non, j'aime encore mieux tout planquer. D'ailleurs, j'aurais un service à te demander. Est-ce que ça t'ennuierait si je me faisais envoyer du courrier chez toi ?

Ah-ah ! Mission de confiance ! Juliette est prête à faire sa B. A. ! Je rigole :

– Bien sûr que non, ça ne me gêne pas. Tu m'aurais demandé de repeindre entièrement la tour Eiffel en une nuit, j'aurais un peu tiqué. Mais recevoir des lettres, c'est pas trop dur.

– Des lettres ou des paquets.

– Même un colis très lourd, tu peux y aller. Je suis musclée !

Je plie le bras pour gonfler mes biceps.

– En plus, c'est un truc que je peux faire en restant chez moi. Je peux même ouvrir la porte au facteur en pyjama, si je veux. C'est plutôt cool.

Il éclate de rire et m'enlace.

– Attention, c'est une mission très importante que je vous confie, lieutenant Juliette, plaisante-t-il. Recevoir un colis en pyjama. Sachez que tout le monde n'en est pas capable !
Je ris :
– Je serai à la hauteur de vos attentes, commandant Greg. Vous n'aurez pas à rougir de moi.
Avec qui d'autre pourrais-je avoir une telle complicité ?
Depuis qu'on se connaît, c'est notre grand jeu. Faire semblant d'être quelqu'un d'autre, interpréter un personnage. Parfois, on s'amuse à jouer qu'on se rencontre pour la première fois. Il me dit de m'asseoir sur un banc et de l'attendre cinq minutes. Puis il fait le type qui ne me connaît pas et qui s'assoit là par hasard. Il m'adresse la parole en me vouvoyant :
– Vous venez souvent par ici ?
Et moi :
– J'ai entendu dire qu'un troupeau de buffles canadiens devait passer dans le quartier. Je les attends.
– Justement, je suis un buffle ! beugle-t-il avec l'accent québécois.

Et il se jette sur moi pour me couvrir de baisers. J'adore !
Donc, ce soir, on parodie une mission de la plus haute importance. Greg prend une voix très douce pour ajouter :
– Hé ! Ne fais pas comme ma mère, n'ouvre pas le paquet, hein ? Ça me décevrait beaucoup !
Oh que non, je n'ai pas envie de le décevoir. Bien au contraire ! S'il savait tout le bonheur que je veux lui offrir ! Et puis, je lis dans ses yeux qu'il me fait confiance. Soudain, je ne suis plus une petite gamine. Je suis quelqu'un en qui il peut croire. Et, quelque part, je suis plus importante que sa mère puisque je peux accomplir quelque chose dont elle est incapable. J'ai l'impression de vivre un moment crucial de notre histoire. Ça paraît idiot, anecdotique. Mais son regard vient de me dire que notre relation a pris un virage décisif. Aujourd'hui, nous avançons main dans la main, unis l'un à l'autre, quoi qu'il arrive.

Chapitre 10

Je n'ai rien dit à maman. D'habitude, les rares fois où on se croise, on en profite pour aller à l'essentiel. On expédie les affaires de la vie courante : les trucs à acheter, les mots des profs, les bobos. Avant Greg, j'aimais bien lui faire des confidences, lui raconter des choses intimes. Mais, là, je ne sais pas, je n'ai pas eu envie. Peut-être parce que c'est ma première histoire d'amour sérieuse. Je veux la protéger.

Je ne veux pas qu'on me la salisse. Parce que, tenue secrète, elle est encore plus délicieuse. Partagée avec personne, je la savoure à cent pour cent. Même à Margaux, je n'en parle plus. À présent, elle se contente de nous regarder, Greg et moi, nous embrasser à la sortie du collège et de voir notre moto disparaître au coin de l'avenue. Tandis qu'elle reste, pauvre petite chose, sur le trottoir à attendre son bus.
D'ailleurs, elle l'a un peu mal pris, Margaux. Il faut dire qu'elle m'a agacée dès le début avec sa théorie : « Tu as choisi un garçon plus vieux que toi parce que tu es en quête du père. Comme ton père est parti, tu cherches à le remplacer... »
N'importe quoi ! Et si mon chat était mort, j'aurais épousé un vieux matou ? Elle débloque !
Du coup, je me suis refermée comme une huître. Si elle aborde le sujet, je l'envoie sur les roses. Inutile de m'épancher. Elle serait capable de se servir de mes confidences pour écrire une thèse sur les rapports amoureux en milieu urbain.
Maintenant, elle se tape un quart d'heure de bus tous les matins avec une muette. Je lui

accorde que ce ne doit pas être très drôle ! Mais elle n'avait qu'à pas m'insulter comme elle l'a fait hier !
Elle tremblait de rage et ses yeux semblaient me lancer des flèches empoisonnées :
– Depuis que tu sors avec Greg, tu as la tête qui enfle, ma pauvre Juliette. Tu regardes tout le monde de haut. Tu es devenue odieuse, et tu ne t'en rends même pas compte !
Comment lui expliquer que j'ai tout simplement mûri ? Les histoires des petits ne m'intéressent plus. Qui a fait le meilleur score au jeu vidéo Machin ; qui arrivera le premier à la cantine ; je me sens au-dessus de ces bêtises.
Mais Margaux était très remontée. Elle déversait son venin sur moi sans relâche, comme un robinet qui n'en finirait pas de couler :
– Tu sais, tu n'es pas la seule à qui ça arrive ! On va toutes, un jour ou l'autre, vivre un truc pareil. D'accord, ton Greg, il est beau. Mais est-ce que tu t'es demandé qui il était vraiment ?
Jalouse !

– … S'il avait une âme ? Tu lui as demandé quelle était sa conception de la vie ? Les grands mots !

Hélas, elle me tenait, et elle ne me lâchait plus :

– … En plus, tu joues les cachottières. Tu oublies tous les moments qu'on a partagés ensemble ou quoi ? On dirait que je n'existe plus pour toi, que je suis devenue transparente ! L'indifférence, c'est pire que le mépris !

Pour qui se prend-elle à la fin ? Pour ma meilleure amie ? Elle rêve ! Je ne l'ai jamais considérée que comme une copine. On emprunte le même bus, c'est tout. Si je lui racontais ma vie, c'est parce qu'elle se trouvait près de moi au moment où j'avais besoin de parler. Je me serais livrée de la même manière avec une autre. Elle n'a jamais été estampillée « confidente officielle de Juliette », que je sache !

– Tu changes, Juliette. Fais attention. Tout le monde va te tourner le dos ; un jour, tu vas constater que tu es toute seule…

Rien ne pouvait arrêter ce robinet. Et tous ces visages tournés vers nous ! Je n'allais tout de même pas sauter du bus en marche

pour échapper à Margaux-l'intello !
Je savais que, dans un sens, elle avait raison. Depuis que je suis avec Greg, tout me glisse dessus. Rien n'a plus d'importance, à part mon amour. On peut bien dire ce qu'on veut de moi, je m'en fiche. Oui, j'aime ! Oui, je suis hyper-heureuse, hyper-amoureuse ! Que ça plaise ou non.
Pourtant sa dernière phrase résonne encore dans ma tête : « De toute façon, tu n'en as rien à faire, des autres. »

Chapitre 11

Comme je m'y attendais, maman s'est rendu compte de quelque chose :
– Tu es bizarre, ces derniers temps, Juliette. Tout va bien ?
Elle ne pouvait pas ne pas remarquer mon air béat et mes yeux dans le vague, ma façon de relever mes cheveux et de me sourire dans la glace. Même si elle est absente la plupart du temps, ça n'a pas pu lui échapper.

Le restaurant dont maman est gérante s'appelle Le Goût d'hier. Cuisine traditionnelle et subtil jeu de mots avec *good year*. Elle culpabilise d'être aussi peu disponible pour moi ; alors, elle essaie de se libérer le plus souvent possible. Le samedi et le dimanche, entre deux services, ou lorsqu'il n'y a pas trop de clients, elle vient à la maison passer quelques instants avec sa fille unique. Des minutes volées à sa vie professionnelle.

J'aimerais lui dire simplement que je suis heureuse. Lui confier que son absence ne me pèse plus trop. Que j'arrive à avancer sans souci dans la vie. Que je peux me débrouiller sans elle. Que tout va pour le mieux. La rassurer, en somme ! Mais j'ai trop peur d'avoir à rentrer dans les détails. Si je commence à parler, c'est sûr, elle va me réclamer d'en raconter davantage. Comment est Greg ? Ce qu'il fait ? Et je n'ai pas envie. En plus, j'ai peur de lui faire de la peine ; elle a une vie sentimentale si minable, tellement au ras des pâquerettes ! Depuis que papa nous a abandonnées, elle a une manière de parler des hommes ! Ils ont tous les défauts de la terre. Alors, Greg,

soit elle va le trouver nul – comme tous les mecs –, soit elle va s'en rendre verte de jalousie. Je préfère me taire.
Je mens :
– C'est parce que tout va bien au bahut. Je n'ai pas de problèmes avec les profs, et j'ai des copains sympas.
Maman a l'air de s'en satisfaire. Elle me sourit. Son regard est plein de douceur. Elle me passe la main dans les cheveux pour remonter une mèche rebelle :
– Je ne te vois pas grandir, ma chérie. Tu deviens une petite femme.
Si elle savait !
– On ne se voit pas beaucoup, mais on est bien toutes les deux, dit-elle encore.
Sous-entendu : sans personne du sexe masculin pour nous pourrir la vie. Vite, détournons la conversation avant que maman ne se lance dans une diatribe anti-hommes. Avant, ça m'amusait de l'entendre casser du sucre sur le dos des types lâches, qui ne savent pas assumer leurs responsabilités. Aujourd'hui, ça me hérisse. Je sais que des mecs bien existent. Je préfère garder mon Greg au chaud dans mon cœur.

Chapitre 12

Un colis pour moi dans la boîte aux lettres. À mon nom ! Je n'en reviens pas. Expédié de Bogota. Qui peut bien m'écrire de si loin ? Je ne sais même pas où ça se trouve. J'ai toujours été nulle en géo.
Je m'apprête à ôter la ficelle. J'attrape une paire de ciseaux. Tout à coup, un signal d'alarme retentit dans ma tête. Mon Dieu, j'allais faire la boulette du siècle ! Bien sûr, ce paquet n'est pas pour moi. C'est celui

que j'aurais dû aller chercher en pyjama. Je n'ose pas imaginer la tête de Greg si j'avais ouvert son paquet. Je n'aurais pas été mieux que sa mère. La honte !
C'est en rigolant que je l'appelle pour le prévenir que son colis est là.
– J'arrive tout de suite !
Dix minutes plus tard, il sonne à la porte. Il fourre le paquet sous son bras et s'apprête à repartir :
– Je suis hyper pressé, ce matin. J'ai déjà pris sur mon temps pour venir ici.
Il hésite un instant, puis ajoute :
– J'ai envie de t'embrasser.
Il me serre contre lui et me donne un baiser, le plus langoureux et le plus long de l'histoire du monde.
– Allez, j'y vais. Excuse-moi de passer en coup de vent.
Comment le retenir ? Je me lance :
– Tu n'ouvres pas ton paquet ?
– Non, je sais ce qu'il y a dedans.
Il a un si beau sourire. J'aimerais tant qu'il me prenne encore dans ses bras. J'ai envie de profiter encore un peu de lui avant qu'il ne disparaisse.
– Tu me donneras les timbres.

– Si tu y tiens !
Ça fait un peu bébé de collectionner les timbres, à mon âge. En réalité, je ne fais pas collection, mais ceux-là sont vraiment beaux. Et rares dans nos régions ! Je mens, je dis que c'est pour mon petit cousin. Je n'ai pas de cousin. Je continue :
– Qu'est-ce qu'il y a dedans ? Il est très léger, ce colis.
Je ne sais plus quoi inventer pour le retenir. Je parais soudain bien curieuse, alors que ce n'est pas mon genre. Mais je souhaite tellement qu'il reste encore un peu près de moi !
Il ne me répond pas. Je tente une hypothèse :
– C'est aussi léger que des scoubidous !
Il sourit :
– C'est ça, si on te le demande, tu diras que ce sont des scoubidous.
Une nouvelle fois, il me serre contre lui tandis que j'enfouis le visage dans son cou. Je suis si bien dans le creux de son épaule ! Si on pouvait rester dans cette position toute la vie !
C'est même tellement bon que j'ose lui avouer :

– Tu sais, j'ai failli ouvrir le paquet.

Il se détache alors de moi et me lance sur un ton glacial :

– Tu m'avais promis !

C'est la première fois qu'il me jette ce regard dur. Je souffre de le décevoir. Je lâche, agressive :

– C'est de ta faute, aussi. T'as mis mon nom sur le paquet sans me prévenir.

Je ne suis plus moi-même.

Il hausse les épaules :

– Je n'allais pas mettre le mien, puisque je n'habite pas ici, maligne !

Il m'agace tout à coup quand il prend cet air condescendant ! Il continue :

– D'ailleurs, prépare-toi, car il y en a d'autres qui vont arriver. Sois fufute, cette fois. Si ça vient de loin, si c'est pas La Redoute ou Les Trois Suisses, t'es gentille, tu n'ouvres pas, et tu m'appelles immédiatement !

Franchement, il me parle comme à une débile !

Je n'ai pas envie de lui répondre. Je me mure dans mon silence.

Un courant froid me parcourt le dos. C'est notre première dispute. On ne va pas se

déchirer pour un vulgaire colis. Non, ce serait trop bête !
C'est lui qui fait le premier pas vers la réconciliation :
– Allez, excuse-moi, je suis crevé aujourd'hui. J'ai mal dormi.
Il m'attire vers lui, relève ma mèche rebelle et m'avoue, tout en m'embrassant :
– Être loin de toi, c'est si dur !
Puis il ouvre la porte :
– Maintenant, il faut que je file !
Il disparaît, emportant avec lui le colis de notre première dispute. Espérons que nous n'aurons pas d'autres motifs de désaccord avant longtemps.

Chapitre 13

J'adore Greg. C'est mon amour, mon trésor adoré.
Mais, pour être honnête, il y a quelque chose qui me gêne chez lui. C'est son boulot. Non, je ne lui reproche pas de travailler ! C'est la nature même de son job qui me dérange. Il répare des ordinateurs. Vous avez un problème ? Allô, Greg ! Et il arrive. Un dépanneur à tête d'ange !
Le hic, c'est qu'il a toujours son portable

sous la main. Ce téléphone, je le déteste. C'est notre épée de Damoclès. Dans les bras de mon chéri, je ne suis jamais entièrement sereine. Je sais que ça peut sonner à tout moment. N'importe quel inconnu peut m'enlever mon mec, et je dois laisser faire. Ça commence à m'exaspérer. Quand je m'en plains, Greg me susurre, désolé : « Il faut bien que je gagne ma vie, ma pupuce ! »
Je sais qu'au fond il a raison. Mais n'empêche…
Pourtant il a un job assez tranquille. Lui, il fait surtout les dépannages en soirée, parce que c'est payé en tarif de nuit ; comme ça, il gagne davantage en moins de temps. Mais le résultat, c'est qu'on se voit rarement le soir. Et, quand on se voit, il suffit d'une sonnerie pour qu'il saute sur sa moto et qu'il disparaisse dans la nuit. Même s'il vient me retrouver ensuite, l'ambiance n'est plus la même. Quelque chose s'est cassé. Commencer une conversation pour la continuer une heure après et la terminer le lendemain, ça manque de charme. Ce serait comme regarder une série télévisée dont on ne saurait jamais à quel moment sera diffusé l'épisode suivant.

Et moi, je suis obligée de faire comme tout le monde ! Quand je veux le joindre, je dois l'appeler sur son portable, comme une simple cliente. Parce que évidemment, impossible de téléphoner directement chez lui, à cause de sa mère. J'entends déjà les commentaires suspicieux que m'aurait faits Margaux-l'intello : « Il dit que c'est à cause de sa mère. Mais il a peut-être une femme ! » Dire que je n'ai pas un instant douté de Greg serait mentir. Quand on est amoureuse, on ne peut pas s'empêcher de se faire du cinéma !... Mais je n'y crois pas, à la double vie. Greg semble trop amoureux de moi. Je suis sa pupuce chérie, je le sais !

Au début de notre histoire, on avait de la chance ; on était rarement dérangés en fin d'après-midi. Mais, maintenant, même ça, c'est remis en question. Hier, par exemple ! Greg vient me chercher comme souvent à la sortie du collège. Bisou, casque ; tout normal. Jusqu'à ce coup de téléphone. S.O.S. Greg. Ça m'agace qu'on le siffle et qu'il se ramène comme un bon toutou à sa mémère. Mais bon !
Après avoir raccroché, Greg souffle :

– La tuile, ma pupuce. On ne va pas pouvoir rester ensemble. Faut que j'y aille.
– Oh non ! J'en ai ras le bol. Juste au moment où on peut se voir !
Il a son regard de chien battu. Sa tristesse me fait de la peine. Je lui prends les mains. Je les embrasse. :
– C'est pas grave. On se voit demain !
Il enrage, et c'est à moi de lui remonter le moral. Le comble !
– Ça tombe mal, lâche-t-il. Doublement mal. J'avais un truc à apporter au Rocamadour.
Il a l'air sincèrement embarrassé.
– C'est super-important. Il faut absolument le déposer avant six heures, et je ne vais pas pouvoir y aller.
Bonne âme, je me propose :
– J'y vais si tu veux.
Et j'ajoute, avec un sourire forcé :
– J'ai du temps, puisque tu m'abandonnes.
Je me fais violence pour plaisanter. Le cœur n'y est pas vraiment.
– Tu es sûre que ça ne t'ennuie pas ?
– Si on ne pouvait pas donner un coup de main à quelqu'un qu'on aime, alors à quoi ça servirait d'aimer ?

Je suis assez fière de ma réplique. C'est un peu théâtral, mais ça a de l'allure.
– T'es vraiment un ange ! me dit Greg, le regard attendri. Allez, monte. Je t'avance un peu.
Je grimpe sur sa moto. On met les gaz. Je me retourne. Romain est sur le trottoir. Il me regarde partir. Il me ferait pitié si, au fond, ça ne m'amusait pas un peu de le titiller avec mon amour pour Greg !

Chapitre 14

– Je vais te laisser au prochain carrefour. Ma course est à droite, et le troquet à gauche.
Mon beau motard me dépose à l'angle de la rue Marcelin et du boulevard Souchet.
– Tchao, ma puce. À plus ! me lance-t-il avant de disparaître au milieu du trafic.
Ça va. Je ne suis qu'à trois rues du Rocamadour. Je n'ai pas à marcher pendant des heures. C'est quand même pratique,

une moto. On se faufile dans les embouteillages. En un tour de roue, on a traversé la ville entière.

Qu'est-ce qu'il m'a dit, déjà, Greg ? Il m'a passé les consignes pendant le trajet : « C'est un paquet très important. Tu fais attention à toi, parce que, des fois, il y a des mecs louches qui traînent devant le café. Si tu vois des types te regarder bizarrement, tu n'entres pas, tu continues ta route. Mais mate autour de toi discrètement. S'ils sentent que tu les observes, ils vont trouver ça suspect, et ils vont t'embêter. »

J'adore ! J'ai l'impression d'être dans un film policier. Ça, avec Greg, on ne s'ennuie pas. Ce n'est pas comme avec Romain... C'est étrange, mais à chaque fois, je compare. Quand je fais un truc inhabituel avec Greg ou quand je suis heureuse dans ses bras, je ne peux pas m'empêcher de penser à Romain le timide.

– Après, tu donnes le paquet à Stan. Tu te souviens de lui ?

Tu penses que je me souviens de Stanislas ! Il a vu naître notre amour. Comment pourrais-je l'oublier ? Comment pourrais-je oublier ce café où tout a commencé ?

Ce devrait être un moment émouvant, ce pèlerinage au Rocamadour. Curieusement, j'éprouve un malaise. Même si j'en garde de bons souvenirs, je ne me sens pas à ma place ici, sans Greg. Je ne sais pas quoi dire. Je me sens petite, larguée, perdue. Comme un oiseau au-dessus de la mer, sans une branche sur laquelle se poser.
Stan a rapidement glissé le paquet sous son comptoir, m'a proposé un Coca, que j'ai refusé. Je n'ai pas soif. J'ai plutôt envie de quitter rapidement cet endroit, où il n'y a pas une seule personne de mon âge. Ce n'est pas mon monde.
Stan a repris sa conversation avec ses clients sans se soucier de moi. Il ne me reste plus qu'à m'en aller.
Oh ! Greg ! Il y a seulement dix minutes que tu m'as quittée, et tu me manques déjà.

Chapitre 15

– J'ai vu un motard quitter la maison quand je suis rentrée hier soir ! C'était qui ?
Aïe ! Je savais bien que ça arriverait un jour. Pourtant on avait tout fait, Greg et moi, pour être discrets.
– C'était un copain !
Si je crois pouvoir m'en tirer avec cet argument, je rêve ! Maman ne va pas s'en contenter.
Ça ne loupe pas :

– Un copain ! Quel copain ?
– Ben, un copain, quoi !
Ça me laisse trois secondes pour réfléchir à une échappatoire.
– Parce que tu as des copains qui viennent te rendre visite la nuit, toi ? Et à moto, en plus ! Qu'est-ce que c'est que cette histoire ?
Il y a de la colère au fond de ses yeux :
– Attention, tu risques de mal tourner, Juliette !
Parce que j'ai un petit copain, je tournerais mal ? Elle exagère.
– Mais arrête, maman ! Toutes les filles de ma classe ont des petits copains !
À part Margaux-l'intello, bien sûr, et une ou deux autres.
La voix de maman se casse :
– Tu as un petit copain, et tu ne me l'as pas dit !
Elle est déçue :
– Je te faisais confiance. Je te croyais suffisamment raisonnable pour te laisser seule à la maison pendant que je travaille. Et toi, tu en profites pour ramener des petits copains sous mon toit.
Des larmes perlent au coin de ses yeux. La

culpabilité lui durcit la voix :
– Je suis obligée de travailler, tu comprends ? Je ne peux pas faire autrement. Si ton père…
Je n'écoute pas le célèbre couplet sur le méchant papa qui nous a lâchement laissées tomber. Je le connais par cœur. Mais je suis embêtée à cause du chagrin de ma mère. Même si je ne vois pas où est le mal. Je l'interromps :
– Il n'y a rien de grave, maman. C'est juste un garçon qui m'aime et que j'aime. C'est banal à mon âge, non ? Et si je ne t'en ai pas parlé, c'est parce que c'est mon jardin secret.
Le coup du jardin secret, je ne l'ai pas inventé. Je l'ai piqué à ma chère mère. Dès qu'elle veut éviter un sujet, elle sort le panneau « jardin secret » et ça met fin à la conversation. Mais, alors que son panneau est en tôle, le mien doit être en carton pâte, car maman le piétine allègrement. Elle continue son interrogatoire, comme je le redoutais :
– Et c'est qui, ce garçon ? Il fait quoi dans la vie ? Il est comment ? Âgé, puisqu'il a une grosse moto…

– Dix-neuf ans !
Elle grimace un peu :
– Il te traite bien, au moins ? Il est gentil avec toi ?
Au-dessus de sa tête s'allument les warnings : « Méfie-toi des hommes ! Ne te fais pas avoir comme moi ! »
Comment peut-elle espérer qu'avec ce discours qu'elle me serine à longueur de journée j'aurai le désir de lui confier mes premiers émois ?
Je résume la situation par un : « C'est un type formidable ! »
– Oui mais… Et ses parents, ils sont comment ?
Je pousse un soupir pour lui montrer qu'elle exagère. J'en ai assez de toutes ces questions. On se croirait dans un commissariat de police.
– Tu connais sa mère ? Son père ?
Maman devrait pourtant être bien placée pour savoir que les parents, ce n'est plus une référence.
Vais-je lui avouer que le père de Greg est aussi minable que le mien ? Que, lui aussi, il a abandonné sa famille ? Non, elle serait trop contente de ressortir son couplet sur

« Tous les hommes sont pareils, etc. ».
– Maman, il ne s'agit pas encore de mariage entre nous ! Mais je te promets de te présenter toute sa famille avant de publier les bans !
Maman doit se sentir ridicule tout à coup. Elle s'écroule dans un fauteuil :
– Excuse-moi, ma chérie. Je suis devenue méfiante avec les années. J'ai peur qu'on te fasse du mal. Je ne veux pas qu'un garçon te brise le cœur.
Elle est drôle ! Même si cela arrivait, qu'est-ce qu'elle y pourrait ?
– Tu aurais dû m'en parler ! Tu n'as plus confiance en moi, c'est ça ?
Je la prends dans mes bras :
– Mais non, maman, c'est pas ça. Je t'aime toujours autant. J'ai toujours confiance. Mais je grandis. Laisse-moi vivre ma vie. Laisse-moi vivre mes expériences toute seule, être heureuse et profiter de mon bonheur.

Chapitre 16

Aujourd'hui, j'ai cours à onze heures. Je ne suis pas pressée de sortir de mon lit.
Quand je me lève enfin, maman est déjà partie.
Driiing ! On sonne à la porte. Je suis en train de me laver les dents. Je regarde par la fenêtre. C'est le facteur ! Il tient une lettre à la main. Une lettre épaisse, d'accord, mais une lettre tout de même. Il exagère. Il aurait pu la glisser dans la boîte aux lettres au lieu

de me déranger ! Je lui fais signe que j'arrive. Le temps de me rincer la bouche.
Mais, bien sûr, comment avais-je pu l'oublier ? C'est mon anniversaire aujourd'hui. Seize ans ! C'est sûrement un cadeau pour moi.
J'ouvre enfin la porte, et le facteur me met la lettre sous le nez. Ah ! je comprends, il va falloir que je lui signe quelque chose. À peine ai-je posé ma main sur l'enveloppe qu'un homme, qui s'était sûrement caché un peu plus loin, surgit. De ma fenêtre, je ne l'avais pas remarqué. Ni lui, ni les deux autres personnes qui l'accompagnent. Il me demande :
– Vous êtes bien…
Il jette un œil sur l'enveloppe :
– … Juliette Marrot ?
Il est impressionnant, cet homme. Troublant.
Soudain, je ne sais plus comment je m'appelle. Je balbutie :
– Euh… oui, c'est moi.
J'ai envie de lui demander ce qu'il me veut, mais je n'ai pas le temps de lui poser la question. Il sort une carte de sa poche et me la flanque sous les yeux : « Olivier Jumelin, officier des douanes. »

Qu'est-ce qu'il vient faire chez moi ? Il enchaîne :
– Vous savez ce qu'il y a dans cette enveloppe ?
Je bredouille :
– Ben… non.
Je ne vais quand même pas lui dire qu'il s'agit de scoubidous. Il n'a pas la tête à vouloir plaisanter.
Il continue :
– Vous avez pris cette lettre. Vous en êtes donc responsable.
Oui, et alors ? C'est juste une lettre ! Une enveloppe en papier kraft, format A4, tout ce qu'il y a de plus classique.
Il jette un regard circulaire autour de lui. Puis il dit :
– On ne va pas rester sur le trottoir, mademoiselle. Excusez-nous, mais on va devoir entrer chez vous.
– Mais pourquoi ?
– Perquisition.
Et il me glisse sous les yeux une feuille à l'intitulé pompeux : « Commission rogatoire ».
Maman serait furieuse que je laisse entrer ces inconnus chez moi. Après sa crise de

confiance d'hier soir, ils tombent mal.
Mais l'officier des douanes n'attend pas mon autorisation et pénètre dans la maison, suivi de ses deux collègues et d'un chien, après avoir remercié le facteur, qui part terminer sa tournée.
Olivier Jumelin me fait la leçon :
– Vous recevez du courrier, et vous ne savez pas ce qu'on vous envoie ?
Qu'est-ce qu'il veut dire ? Ça m'est déjà arrivé de recevoir des échantillons sans avoir rien commandé !
Devant mon air ahuri, il précise :
– Eh bien, moi, je crois le savoir. Nous allons donc effectuer une perquisition chez vous. À commencer par votre chambre. Où se trouve-t-elle ?
Il a un ton si calme, si posé qu'il en devient imposant. Je ne vois pas comment je pourrais refuser de m'exécuter. Il monte déjà les escaliers, talonné par ses deux acolytes.

Chapitre 17

Je n'attendais aucune visite aujourd'hui, ma chambre est en fouillis. J'en suis un peu gênée. Je ne devrais pas, vu ce qu'ils en font. Ils retournent tout. Ils soulèvent le matelas. Ils déplacent les livres, les uns après les autres. Ils vident mes tiroirs. Et le chien qui renifle partout ! Il pose sa truffe humide sur mes draps ; beurk, c'est dégoûtant.

J'ai envie de hurler, de leur dire d'arrêter et

de quitter ma chambre. Même ma mère ne fouille pas dans mes affaires ! Qui sont-ils, eux, pour se le permettre ? En plus, ils décortiquent tout. Ils regardent mes photos personnelles, ouvrent mon courrier, lisent mes lettres. Je me sens toute nue.
Mais je me tais. Je sens que ça ne servirait à rien de crier, sauf à envenimer la situation. Alors, je reste plantée là, immobile telle une statue, près de mon bureau, les bras ballants. Ils vont bien finir par partir et me laisser tranquille.
Ils me jettent des coups d'œil tout en continuant à inspecter mon linge. Mes petites culottes défilent entre leurs doigts, maintenant, c'est n'importe quoi ! J'ai beau réfléchir, je ne comprends pas ce qui m'arrive. Que cherchent-ils ? Je dois être en train de rêver. Ou plutôt de faire un cauchemar. C'est sûr, je vais me réveiller.
Ça y est, j'ai compris ! Ce sont des copains de Greg qui ont monté cette blague pour mon anniversaire ! Comment n'y ai-je pas pensé plus tôt ? Peut-être parce que ce sont de sacrés comédiens ! Je suis sûre que les vrais douaniers se comportent de la même façon. Vraiment, ils sont bluffants !

Chapeau ! Du coup, je me détends.
Au bout d'un moment, le prétendu Olivier Jumelin se tourne vers moi et me dit :
– Nous n'avons rien découvert chez vous et vous semblez ignorer ce que contient cette enveloppe. Toutefois, comme elle vous est destinée, je me vois contraint de vous mettre en retenue douanière. Veuillez nous suivre pour audition à la Direction des enquêtes douanières.
Il est trop drôle ! Il s'ingénie même à imiter les tics de langage des douaniers. Perfectionniste, le mec ! Tant pis si j'arrive un peu en retard au collège, je suis curieuse de voir quelle farce Greg m'a concoctée.
Olivier Jumelin me pose alors une main sur l'épaule et me pousse vers la sortie. Je ne lui montre pas que je sais qui il est en réalité. Je joue le jeu ; je lui obéis. Les copains de Greg seraient trop déçus si je leur révélais dès maintenant que je les ai découverts.
Pendant ce temps, le chien a fait le tour de la maison. Il en a reniflé tous les recoins. Il n'a rien trouvé à se mettre sous la dent. Il doit être trop gâté, car les os jetés à la poubelle ne l'intéressent même pas.
À peine le temps de fermer à clé, je me

retrouve à l'intérieur d'une voiture, coincée entre deux hommes, qui me semblent soudain être des géants. Ça me rappelle la farce faite à Jean-Phi. Mais, cette fois encore, les copains de Greg ont été légers en ce qui concerne la voiture. Elle ne comporte aucun signe extérieur indiquant qu'elle appartient aux douanes. Il faudra que j'en fasse la remarque à Greg. à part ce petit détail, tout était crédible. Dommage !
La voiture quitte ma rue, traverse la ville et s'arrête devant un bâtiment des douanes. Le trajet me semble très long, mais je ne dis rien. Intérieurement, je trouve qu'ils poussent la plaisanterie un peu loin. Ils semblent oublier que j'ai des cours, aujourd'hui. Je dois me rendre au collège. C'est eux qui vont me faire un mot d'excuse peut-être ?

Chapitre 18

Je viens d'arriver à la Direction des enquêtes douanières.

Les trois types m'ont installée dans une salle aux murs froids. À présent, ils tournent autour de moi, comme des vautours autour d'une proie en me pressant de questions : nom, prénom, âge… J'en passe. Leur interrogatoire, c'est carrément trop !

J'ai fini par retenir leurs noms. Il y a cet Olivier Jumelin, qui joue le rôle du chef.

Les deux autres sont plus discrets. L'un se fait appeler Rossignol. L'autre, Karim.
Olivier Jumelin et Karim m'assaillent de questions, tandis que Rossignol note sur une feuille tout ce qui se dit :
– Avez-vous déjà eu des démêlés avec les services de police ou des douanes ?
Les blagues les plus courtes sont les meilleures. Je commence à m'énerver :
– Bien sûr que non !
– Êtes-vous consommatrice de substances illicites ?
Qu'est-ce que c'est que ce charabia ?
– C'est quoi ?
– Hasch, cocaïne, ecstasy, LSD… De la drogue, quoi !
Ils s'amusent à me demander ça à moi, qui n'ai même jamais fumé ne serait-ce qu'une simple cigarette !
Je hausse les épaules :
– Hé ! Je n'ai que seize ans !… Maintenant, ça suffit !
Leur blague d'anniversaire a assez duré. Ils vont trop loin. Quand ça devient cruel, ce n'est plus drôle du tout. Je me dis que, finalement, Jean-Phi n'avait pas dû rire tant que ça avec ses yeux bandés, dans la voiture !

Je fixe Karim. Soudain, je vois qu'il affiche un air accusateur tout ce qu'il y a de plus réel :
– Si tu crois que c'est une excuse, ton âge ! Tu penses qu'ils ont quel âge, ceux qui prennent la saloperie que tu as reçue par la poste ? Certains sont bien plus jeunes que toi !
Maintenant, je ne comprends plus ce qui m'arrive. Alors, ce n'est pas une farce ? Qu'ont-ils à s'acharner sur moi ? Je ne trouve rien à me reprocher. Je me sens seulement sale d'être traitée de cette manière.
– Mais… je n'ai même pas ouvert cette enveloppe. Je ne sais pas ce qu'il y a dedans !
– On va vous renseigner, intervient Olivier Jumelin sur un ton tranchant. Trois cents grammes de cocaïne pure. Ça vous dit quelque chose ?
Ça ne me dit rien du tout. Je ne me suis jamais sentie concernée par la drogue. Bien sûr, comme tout le monde, j'en ai entendu parler. Mais juste parler.
Karim reprend :
– Tu sais combien de personnes ça peut rendre dépendantes ? Ou tuer ? Tu alimentes

la délinquance avec ton petit trafic.
Quel trafic ? Qu'est-ce que c'est que ce délire ?
Des larmes coulent le long de mes joues. Silencieusement. Je craque :
– Mais qu'est-ce que vous voulez, à la fin ? De quoi m'accusez-vous ? Je ne comprends pas un mot de ce que vous me dites !
– On ne vous accuse pas, répond Olivier Jumelin, très calme. On cherche à comprendre votre rôle dans cette histoire…
– Bon, je vais t'expliquer, l'interrompt Karim, sur un ton peu commode. Tu as reçu de la drogue chez toi. L'importation ou l'exportation de cocaïne, c'est puni par la loi. En gros, tu risques cinq ans de prison. Ça, ce sont des mots que tu comprends ?
Ce que je comprends dans un premier temps, c'est que ma mère va s'affoler et que le collège va me demander de justifier mon absence. Je m'imagine leur expliquer, la bouche en cœur, que j'ai été arrêtée par la police : « C'est rien, c'est juste une petite affaire… stupéfiante. »
Pas envie de rigoler, pourtant !
Je blêmis. Tout tourne autour de moi. Ce n'est pas possible qu'un truc pareil m'ar-

rive ! Il n'y a pas une fille au monde qui soit plus clean que moi.
Olivier Jumelin a l'air de penser que je feins d'être naïve et que je le mène en bateau. Il faut dire que mon attitude décontractée, voire indifférente, tant que je croyais à une farce, a joué en ma défaveur. Cela explique son agressivité envers moi. Mais je suis vraiment naïve. Je ne comprends toujours pas mon lien avec cette drogue. Depuis que ces trois types ont fait irruption chez moi, de toute façon, mon cerveau travaille au ralenti. Le monde extérieur, ma vie, tout me semble étranger.
Devant mon air hagard, Karim me demande, d'une voix radoucie :
– Parlons d'autre chose. Connais-tu Grégoire Perrin-Couderc ?
– Jamais entendu parler !
– Tu le connais peut-être mieux sous le surnom de Greg-le-bellâtre ?
– Je connais bien un Greg… mais non…
Je m'interromps. Je ne vais pas leur raconter mes histoires d'amour. Si je les cache à ma mère, ce n'est pas pour les confier à des inconnus.
– Continue. Qui est ce Greg que tu connais ?

– C'est mon petit copain.
– Tu le connais depuis longtemps ?
– Trois mois environ.
– Tu le connais bien ?
– Oui, c'est mon petit copain, je vous dis !
– Tu es déjà allée chez lui ?
– Non, sa mère ne veut pas.
– Il fait quoi comme boulot ?
– Il répare des ordinateurs.
– Tu en es sûre ?
Ils m'agacent à douter de chaque mot que je prononce :
– C'est ce qu'il m'a dit.
– Tu l'as déjà accompagné à son travail ?
– Je ne suis pas un petit toutou !
Enfin, je prends de l'assurance. Je continue :
– Il a sa vie, j'ai la mienne. Si on ne peut pas se faire confiance dans un couple !
Olivier Jumelin a soudain un sourire ironique :
– Alors tu le connais bien !
Et il me glisse sous les yeux une photo :
– C'est lui ?
Le cliché est mauvais, un peu flou, comme une photo de paparazzi prise au téléobjectif. L'image est en noir et blanc, mais on

ne peut pas se tromper :
– Oui, c'est lui ! Qu'est-ce qu'il a fait ?
Mon cœur se met à battre à cent à l'heure. Qu'est-ce qu'ils vont m'annoncer ? Que Greg a une autre petite copine ? Oh non, ce serait trop horrible !
Ils ne me répondent pas. Olivier Jumelin adresse simplement un clin d'œil aux deux autres.
Karim me pose une nouvelle question :
– Qu'est-ce que tu allais faire de l'enveloppe ?
– Rien.
– Rien quoi ? Tu allais bien l'ouvrir.
– Ben non. J'aurais appelé Greg et…
Je ne finis pas ma phrase. Je viens enfin de tout comprendre. Jusqu'à présent, je marchais dans un épais brouillard ; mais maintenant tous les morceaux du puzzle se sont assemblés d'un seul coup, et tout me paraît limpide !

Chapitre 19

Humiliée. Meurtrie. Trahie.
Des larmes coulent, sans répit, sur mes joues. J'ai envie de mourir.
Quelle conne, non mais, quelle conne ! Je comprends le sens de l'expression « l'amour rend aveugle ». On ne voit tout simplement pas l'évidence. Ou plutôt on refuse d'y croire. Comment ai-je pu me laisser berner à ce point ? Comment ai-je pu marcher si longtemps à côté de mes pompes ?
Dire qu'à cause de ce mec, je risque la

prison ! Et moi, grosse naïve, je m'inquiétais seulement de savoir si j'avais une rivale. Je me mets à rire nerveusement. Quelle imbécile ! Je croyais au Grand Amour, comme dans les romans ! Mieux, ma vie était plus belle qu'un roman. Pauvre sotte ! Mais comment accepter que quelqu'un qui vous aime puisse vous trahir ? Ce n'est pas possible… à moins qu'il ne vous aime pas vraiment ! Pire : qu'il ne vous ait jamais aimée…

À présent, je suis assise sur un banc devant la Direction des enquêtes douanières. Je me sens comme un animal blessé. Je suis toute seule. Toute seule à ressasser notre conversation avec les douaniers de cette dernière heure. Je n'ose pas aller au collège ni même rentrer chez moi. Pas encore ! J'aimerais d'abord reprendre mes esprits. Je n'ai pas faim. D'habitude, mon estomac me rappelle à l'ordre dès midi. Il est parfait pour m'indiquer l'heure des repas. Mais en ce moment une grosse boule l'obstrue. Je ne pourrais rien avaler.

Nous avons discuté longtemps tous les

quatre, Olivier Jumelin, les deux autres types et moi. Je voulais tout savoir ; connaître le piège dans lequel j'étais tombée. Et je suis tombée de haut... À ramasser à la petite cuillère, la Juliette !
Pour résumer, Greg s'est servi de moi pour l'assister dans son trafic de drogue. Sans le savoir, je recevais chez moi de la cocaïne. C'était ça, les fameux scoubidous ! Greg ne pouvait pas être inquiété par la police, rien n'étant à son nom. Il lui suffisait de venir chercher la marchandise sans se faire repérer. Et bingo !
L'importation illicite de drogue – mon cas – est punie par dix ans d'emprisonnement pour une personne majeure (la moitié pour une mineure) tandis que la revente n'est passible que de cinq ans. Ainsi il limitait ses propres risques. Comme, en plus, ce n'est pas lui qui revend, paraît-il, mais qu'il fait dealer par d'autres, il peut dormir sur ses deux oreilles.
Autres surprises : Greg n'a pas dix-neuf, mais vingt-six ans. Il ne vit pas chez sa mère, mais tout seul dans un appart. D'ailleurs, ses parents ne sont pas séparés. Et il n'a pas été surnommé « Greg-le-bel-

lâtre» par hasard: il a collectionné les conquêtes féminines, à qui il a fait successivement jouer le même sale rôle. Ses ex-fiancées se comptent par dizaines.

Greg s'est moqué de moi. On n'avait rien en commun. Il m'a menti sur tout. Il me racontait ce que j'avais envie d'entendre. Je voulais qu'il ait dix-neuf ans, il s'en donnait dix-neuf. Je voulais que sa mère ait été abandonnée, son père devenait un lâche. Vivre les mêmes situations, avoir vécu les mêmes galères, croire à un destin identique, ça crée des liens. Je ne pouvais qu'être séduite.

C'est vrai que je ne connaissais ni son nom, ni son adresse, ni quoi que ce soit de concret sur lui. On ne demande pas ses papiers à quelqu'un qu'on idolâtre. Ah! Sa chère indépendance à laquelle il ne fallait pas toucher! Son indépendance sacrée! À l'entendre, elle était le ciment d'un couple qui dure. Tu parles! Elle lui permettait de disparaître de ma vie dès qu'il le souhaitait. Et d'éviter que je devienne trop encombrante.

Mais comment ai-je pu penser une seule seconde qu'il était tombé amoureux de moi ? Qu'est-ce que je m'imaginais ? Pour qui je me prenais tout à coup, moi qui me suis toujours sentie moche et insignifiante ? Comment aurais-je pu intéresser un mec de son âge et de son genre ? Pauvre cruche ! Peut-on pardonner les risques qu'il m'a fait prendre. Même si je m'en remets un jour, je n'oublierai jamais.

Le paquet à apporter à Stanislas, le fameux jour où Greg était si pressé, c'était de la cocaïne. Et Greg ne voulait pas transporter cette quantité de drogue sur lui ; alors il a pris des précautions, au cas où des flics auraient planqué devant le bistro. Il m'a vraiment menée en bateau : « Ouais, j'ai un rendez-vous important. Je ne peux pas apporter le paquet à Stan. Mais je t'approche en moto... » Comment ai-je pu croire une pareille histoire à dormir debout ? C'était tout aussi rapide pour lui d'y aller directement que de me laisser à trois rues du troquet. Aussi rapide, mais bien plus dangereux, évidemment. J'aurais dû avoir des doutes, à ce moment-là. Mais j'étais bien trop amoureuse !

Bien sûr, le fait d'être mineur et de n'avoir jamais eu de problème avec la police allège

les peines. J'espère que Greg ne s'attend pas à ce que je le remercie pour ça !
Je renifle, mais mes larmes continuent de couler. Ne s'arrêteront-elles donc jamais ?

J'aurais dû me casser la jambe plutôt que de prendre le bus ce jour-là. Moi qui pensais que c'était la chance de ma vie…
Mais, bien sûr, le bus ! Greg s'était intéressé à moi parce que je me vantais auprès de Margaux de ma totale liberté. De ma chambre indépendante. De ma mère qui me fichait une paix royale. Et j'en rajoutais dans l'émancipation ! Quelle idiote ! J'ai été l'instrument de mon propre malheur. Tout est ma faute !
Je me déteste.
Je le hais.

Chapitre 20

Une seule pensée occupe à présent mon esprit : faire payer à Greg ce qu'il m'a fait subir. C'est une vraie obsession. Mais comment me venger ?
Je sais ! Je vais appeler Greg et lui annoncer que tout est fini entre nous… Mais si je tombe sur sa boîte vocale ? Je ne vais pas laisser un message de rupture sur son répondeur, c'est ridicule… De toute façon, il s'en fiche bien que tout soit fini entre nous.

Non, je vais me comporter comme si de rien n'était. On va aller faire un tour au lac. Je lui dirai : « Regarde les jolis canards », et je le pousserai dans l'eau.
Non, c'est nul. À tous les coups, il sait nager ! Voilà que je délire à présent !
J'ai une meilleure idée ! Je l'appelle, et je lui dis que je sais tout. Je lui raconte que j'ai jeté sa drogue dans les toilettes, et que j'ai tiré la chasse. Il sera vert de rage et moi, j'aurai ma vengeance ! Ah ! Il verra que je ne suis pas la petite conne qu'il s'imagine. Qu'à moi, on ne la fait pas…
Non, tout ça, c'est de l'orgueil. Et ce n'est pas la vérité. Je suis effectivement la petite conne qu'il imagine. Je ne suis qu'une gamine naïve, une pauvre pomme qui croyait au prince charmant. La vérité, c'est que j'ai honte de m'être fait avoir. Mais j'y croyais, moi, à notre histoire d'amour. Hier encore, il m'a dit : « Je t'adore, ma pupuce ! », et il m'a embrassée tendrement. C'est dégueulasse de sa part de m'avoir persuadée qu'il m'aimait pour la vie.
Greg, tu vas me le payer.

Chapitre 21

Mon avenir est resplendissant ! J'oscille entre le noir clair et le gris sombre. J'ai le méga-blues.

Rossignol vient de sortir du bâtiment des Douanes. Il s'approche de mon banc. Il me tend un gobelet d'eau :

– Je t'observe depuis un moment. Tu dois avoir soif.

Pas vraiment ! Je suis davantage à l'écoute de mon pauvre cœur meurtri qu'à celle de mes besoins vitaux. Mais, d'accord, je vais boire, sinon je risque de m'écrouler.

– Qu'est-ce qui va se passer pour moi maintenant ?

– Rien. On a compris que tu n'étais pour rien dans cette affaire. Tu as été le dindon de la farce. Tu peux rentrer tranquillement chez toi. Tu ne seras même pas fichée.

Rossignol m'a parlé gentiment, comme à une fillette fragile. Son regard est presque doux. Plein de pitié, on dirait. Oui, il a une attitude humaine. L'attitude d'un brave type. Il s'assoit sur le banc à côté de moi.

Il regarde mes yeux bouffis de larmes, et il me confie :

– C'est moi qui ai demandé que l'on ne prévienne pas ta famille. La loi ne nous oblige pas à le faire, et j'ai pensé que ce serait moins lourd pour toi. Tu sais, j'ai une fille de ton âge. Elle te ressemble. Tout le temps qu'on t'interrogeait, je pensais à elle, et à ce qu'elle aurait ressenti si elle avait été à ta place.

Il est gentil avec moi seulement parce qu'il s'est identifié ? Sinon…

– Votre fille est sûrement mille fois mieux que moi. Elle, elle ne se serait pas fait avoir.

Moi, je suis bien trop conne !
Mes yeux s'embrument de nouveau. Je croyais pourtant qu'il ne me restait plus de larmes. Que toute l'eau de mon corps avait déjà été éliminée par mes pleurs... Ce doit être à cause de ce verre d'eau.
– Non, justement, me répond Rossignol. Ça aurait très bien pu lui arriver, à elle aussi. Comme ta mère, je suis souvent absent de la maison. Alors, j'ai tendance à lui donner plus de responsabilités qu'elle ne peut assumer à son âge. En te regardant, je culpabilise. On demande à nos enfants d'être des adultes alors qu'ils entrent à peine dans l'adolescence. Du coup, leurs erreurs, au lieu de rester de petites bêtises, se transforment en catastrophes.
Il s'entendrait bien avec Margaux-l'intello, lui.
Je comprends pourquoi je suis restée si longtemps immobile sur mon banc. Je voulais connaître mon sort sans oser retourner le demander aux douaniers. Trop humiliée. Maintenant que je suis fixée, je pourrais partir. Mais mon corps est lourd comme un bloc de pierre. Je n'arrive pas à me lever. Comme s'il y avait encore des choses

opaques à éclaircir. J'ai besoin de discuter encore, d'être rassurée tout à fait.

Rossignol me sourit :

– Tu as été bien imprudente, mais j'espère que tu ne sortiras pas trop brisée de cette affaire.

Même pas mal ; tu penses ! Il rigole ou quoi ? Je suis marquée au fer rouge pour la vie !

– Qu'est-ce que tu vas faire à présent ?

Je lâche, lugubre :

– Je ne pourrai plus jamais donner ma confiance à un garçon. Je n'aimerai plus jamais.

Des mots qu'emploie ma mère sont venus dans ma bouche. On dirait que je répète l'un de ses vieux discours.

– Il ne faut pas dire ça, tu es jeune. Tous les garçons ne sont pas aussi machiavéliques que ton Greg. Regarde, moi, ça fait vingt ans que je suis avec ma femme. Et on est très heureux ensemble.

Je dois le croire sur parole ! Sa femme n'est pas là pour le confirmer. Peut-être même qu'il n'a pas de femme du tout... Mais c'est vrai qu'il a une bonne tête. La tête de quelqu'un à qui on peut faire confiance...

Tiens, revoilà les idées préconçues ! Greg aussi avait une bonne tête.
À mon tour de m'épancher :
– Je veux que Greg paie pour le mal qu'il m'a fait. Je ne pense plus qu'à le réduire en bouillie. Vous croyez que c'est normal, ce désir de vengeance ?
– Bien sûr, me répond Rossignol, c'est humain. Mais attention ! Greg est un malin, et il peut devenir dangereux. Comme tous les dealers, il serait prêt à tout pour récupérer sa came. Même à tuer.
Tous les voyants se mettent à clignoter dans ma tête. La drogue, bien sûr ! Elle est restée sur le bureau des douaniers !
Je hurle :
– Alors vous m'envoyez direct à la mort ! Qu'est-ce que je vais faire maintenant que je n'ai plus la drogue ? Vous me dites qu'il n'y a que ça qui intéresse Greg, et vous me larguez dans la nature, sans rien. Vous savez très bien qu'il ne me lâchera pas tant qu'il ne l'aura pas récupérée.
Je sanglote :
– Vous ne pouvez pas me laisser comme ça. Il va me tuer !
Je suis terrorisée. Tout à coup, même la

prison me ferait moins peur que Greg. C'est le monde à l'envers ! L'homme que j'adorais encore ce matin est devenu à mes yeux l'être le plus terrifiant de l'univers.

Chapitre 22

Rossignol est parti débattre avec ses collègues.

Quelques minutes plus tard, Karim vient me chercher :

– Tu veux bien me suivre ? On a un marché à te proposer.

Je me retrouve dans la pièce de tout à l'heure. Elle me semble moins hostile à présent. Il faut dire qu'Olivier Jumelin affiche un air jovial. Jusqu'à présent, je

n'avais lu sur son visage que de l'animosité. J'aurais mis ma main à couper qu'il ne savait pas sourire.
Je le regarde. Il ressemble à un étudiant. Je n'aurais jamais cru que des gens aussi jeunes pouvaient être douaniers. En jeans, baskets, sweat-shirt. Je ne sais pas pourquoi, je les imaginais toujours vieux. Décidément, j'en avais, des idées préconçues !
– On ne veut pas avoir ta mort sur la conscience, me dit-il avec un humour tout particulier.
Tiens, il me tutoie maintenant ! Il ne cherche plus à m'impressionner.
– Ce ne sont pas les gens comme toi qui nous intéressent, poursuit-il. Toi, tu n'es qu'un pion. Nous, ce qu'on veut, c'est du gros gibier. Et Greg-le-bellâtre, ça fait un moment qu'on cherche à le coincer. Seulement, quand on le chope, il n'a jamais rien sur lui. Ou à peine une dose ou deux. Le reste est soigneusement caché dans des planques !
– Bien sûr, il nous jure que c'est pour sa consommation personnelle, reprend Karim en levant les yeux au ciel…
Lui non plus ne semble pas aimer être pris

pour un imbécile. Ça nous fait un sacré point commun !

– … Même si ça tombe sous le coup de la loi, ça ne va pas chercher loin. Ce n'est pas ça qu'on veut obtenir.

– Voilà ce qu'on te propose. On te rend la came…

Rossignol précise :

– On a refermé l'enveloppe. Ça ne se voit pas qu'elle a été ouverte. Il ne te fera pas d'histoires.

Il sait que j'ai besoin d'être rassurée. Je lui souris pour le remercier.

Olivier Jumelin continue :

– Tu vas l'appeler et lui dire que sa lettre est arrivée. Dès qu'il sortira de chez toi, on le prendra en filature et on le chopera.

De nouveau, les voyants clignotent dans ma tête.

– Il n'est pas bête, Greg. Il va tout de suite faire le rapprochement entre vous et moi ! Et après, il reviendra me régler mon compte.

Les trois douaniers se regardent, le sourcil en accent circonflexe. Des spécialistes comme eux n'avaient pas pensé à ce détail ou quoi ? Ils se soucient de ma vie comme de leur premier biberon !

– Ne panique pas ! On va te faire une description précise de l'opération. Nous, on sera cachés plus loin. On va simuler un accident pour immobiliser sa moto. Contrôle des papiers. Fouille corporelle. On tombe sur la came. Hop ! Au poste !
– Dans son esprit, ce sera par pur hasard qu'on se soit trouvés sur son chemin. Il pensera à un simple coup de malchance.
– Tu as compris ? Tu te sens capable de jouer le jeu ?
Je fais oui de la tête.
Karim précise :
– Tu ne nous connais pas. On ne te connaît pas.
– Oui, on ne parlera pas de toi, me promet Rossignol.
– Alors, tu es d'accord pour qu'on procède comme ça ?
Je ne peux pas dire que je sois super-ravie d'être ce qu'on appelle une balance. Moucharde officielle à mon âge, belle entrée dans la vie ! Mais je dois avouer que ça arrange mes affaires. Pour moi, ce qui est vital, c'est de ne plus jamais entendre parler de cette histoire et de me débarrasser de Greg. Et aussi de me venger de lui. Si je

ressors victorieuse de cette épreuve, je pourrai de nouveau me regarder dans la glace.
– O. K.
– On t'appellera pour te fixer la date et l'heure.
– Tu devras rester naturelle, sinon il risque de se douter de quelque chose, me souffle Rossignol.
Facile à dire ! Je ne suis pas comédienne professionnelle !
Moi qui trouvais amusant de jouer aux malfrats, cette fois, je vais être servie !

Chapitre 23

Rossignol m'a raccompagnée dans la voiture des douanes. J'ai ainsi appris qu'ils utilisent des voitures normales, sans signe distinctif, pour faire leur travail le plus discrètement possible. Espérons donc que mon départ, ce matin, est passé inaperçu dans la rue.

Il m'a déposée chez moi. Enfin, pas tout à fait. À trois rues, pour ne pas éveiller les soupçons. (Tiens, ça me rappelle les ruses de Greg !)

Une fois à la maison, je m'écroule sur mon lit et je m'endors comme une masse. Je dois être complètement épuisée, car je ne me réveille que le soir, vers sept heures. Pour tout dire, c'est maman qui me réveille en entrant dans ma chambre :
– Ma chérie, tu dormais ?
– Maman, tu es là ? Mais quelle heure il est ?
– Sept heures et quart.
Déjà ? Mince, je n'ai pas mis un pied au collège de la journée.
– Dis donc, ta chambre, quel bazar !
Je ne vais quand même pas lui avouer que ce sont des douaniers et un chien qui l'ont mise dans cet état ! Je bafouille :
– Euh, oui, j'ai décidé de commencer le grand nettoyage de printemps, comme tu dis. Et, pour bien ranger, il faut d'abord tout sortir.
Puisque tout est sens dessus dessous, autant effectuer un grand tri dans ma vie. Tous les souvenirs de Greg, je me ferai un plaisir de les jeter aux ordures. Mais, d'ailleurs, qu'est-ce que tu fiches ici ? Tu ne devrais pas être au resto ?
Maman m'adresse son sourire le plus tendre :

– Je me suis débrouillée pour être auprès de ma petite fille chérie pour ses seize ans. Bon anniversaire, ma douce.

Ah oui ! Je m'en souviendrai toute ma vie, de mes seize ans. Une belle fête, vraiment ! Maman m'ouvre ses bras. Je me blottis contre elle en me retenant de pleurer. J'aimerais être encore la petite fille qu'elle imagine, sans les soucis des grands. Je me mords les lèvres. Ce serait tellement libérateur de lui raconter ma journée. Mais il ne faut pas. Surtout ne pas l'affoler. La protéger.

Soudain, les sourcils de maman se froncent :

– À propos, j'ai vu Mme Langlade…

C'est la voisine d'en face.

– … Elle m'a dit que tu étais partie ce matin avec trois garçons. C'était qui ?

Je bafouille :

– Euh… Des copains qui m'ont proposé de me déposer au bahut !

Pourvu que les racontars de la voisine ne fassent pas échouer le plan des douaniers !

Je demande :

– Qu'est-ce qu'elle t'a dit d'autre, Mme Langlade ?

– De ne pas m'inquiéter, car ils avaient l'air très sérieux. Oh ! Elle m'a dit aussi qu'il y avait eu une fuite d'eau dans la rue. Tu le savais ?
Je secoue la tête. Mais je suis soulagée que cette fuite fasse diversion.

Le soir, dans mon lit, je repense à Margaux-les-bons-tuyaux. Elle avait raison quand elle déversait son lot d'insultes sur moi ! Je n'étais qu'une orgueilleuse qui ne voulait rien écouter. Je savais tout. J'étais si intelligente. Je me sentais tellement au-dessus d'elle, et de toutes les filles de ma classe. Mon Greg était adorable. C'était le plus beau mec que la Terre ait jamais porté. Il pouvait faire craquer n'importe quelle nana, et c'est moi qu'il avait choisie. J'étais fière, et flattée qu'il ait jeté son dévolu sur moi.
Je n'étais qu'une prétentieuse puante, oui ! Il n'y avait que l'apparence qui comptait. Je me suis arrêtée à ça, comme une gourde.
J'étais devenue odieuse. Au lieu de regarder Margaux de haut, j'aurais mieux fait de l'écouter. J'ai bien mérité tout ce qui m'arrive !

Chapitre 24

Je me croyais assez forte pour tourner rapidement la page. Je croyais pouvoir tirer un trait sur Greg. Ce devait être facile, il suffisait de prendre une règle et un crayon. Tchac !... Eh bien, non, il n'y a rien de plus dur. Greg m'a humiliée, déshonorée, avilie, il me donne envie de vomir, et pourtant, ses caresses et ses baisers me manquent.
Ces dernières heures ont été difficiles. J'ai grandi trop vite en trop peu de temps.

Une histoire d'amour, même aussi lamentable que la mienne, on n'en guérit pas en une nuit.
Et je ne peux me confier à personne.
Ma mère ? Elle deviendrait folle si elle savait que j'ai eu de la drogue entre les mains et que j'ai passé une journée en « retenue douanière ».
Margaux ? Elle me ferait la morale : « J'ai essayé de te prévenir, mais tu n'as pas voulu m'écouter. »
De toute façon, les douaniers m'ont exhortée à me taire. Le mot d'ordre est : « Il ne faut éveiller l'attention de personne. » Je dois donc jouer la comédie à la maison et au bahut. Jouer à être une fille heureuse, tranquille, sans souci, alors que je suis rongée à l'intérieur. Qu'importe ce que je vis vraiment ! Je dois sourire pour donner le change.

C'est dans cet état d'esprit que je pénètre dans la cour du collège.
Margaux et moi, on prend toujours le même bus le matin, mais on s'évite depuis des semaines. Aujourd'hui, j'ai bien failli la rejoindre. Juste pour parler. Pour refaire le monde, comme au bon vieux temps. Pour

revenir trois mois en arrière. Pour effacer tous les mauvais souvenirs. Mais je n'ai pas pu. J'avais bien trop peur de m'effondrer.
Je me suis installée à l'autre extrémité du bus, et j'ai regardé défiler la route devant moi.
Pour éviter d'exhiber mes yeux bouffis de larmes, je me suis affublée de lunettes de soleil. Je n'étais pas disposée à supporter les remarques acerbes de Margaux, du style : « Les lunettes noires, à présent ! Tu te prends pour une star ou quoi ? »
Maintenant, j'entre en cours. Je repère une table tranquille au fond de la classe. Je m'y assois. Romain a dû remarquer mon air triste. Il vient se mettre à côté de moi, sans rien dire. Je l'avais presque oublié, celui-là.
Quand Mme Alfonso, la prof, m'aperçoit, elle lance :
– Ah ! Juliette, tu étais absente hier…
Je devance sa question :
– Oui, j'avais un problème aux yeux. J'étais chez l'ophtalmo.
Comme ça, je désamorce auprès de tous les élèves les réflexions sur mes lunettes. Ils n'oseront pas se moquer de quelqu'un de malade, tout de même !

– Tu apporteras un certificat médical.
– Bien sûr.
Avec le tampon de la Direction des enquêtes douanières pour le même prix !
Romain me chuchote :
– C'est grave ? J'étais inquiet de ne pas te voir de toute la journée.
– Non, c'est rien.
– Quand même ! Quand on porte des lunettes, c'est que c'est un peu grave.
– Mais non !
Il va me lâcher, oui ? S'il s'imagine que je vais lui raconter ma vie ! Lui confier que c'est juste un chagrin d'amour et une embrouille avec la police qui me boursouflent les yeux.
Il sort alors de sa poche quatre Mars et il les pose devant moi.
Je demande :
– C'est quoi ?
– Ben, des Mars.
Même si je porte des lunettes, je ne suis pas aveugle. J'ai bien vu ce que c'était.
– Oui, mais pourquoi ?
– Tu es bien née un 4 mars ?
Je murmure :
– Oui.

– C'est mon cadeau d'anniversaire pour toi.
Et il ajoute :
– Heureusement que tu n'es pas née le 31, j'aurais dû casser ma tirelire.
Oh ! Mais il fait de l'humour, le Romain. Il se lâche !
Sa réflexion m'amuse. Je réplique :
– J'aurais dû naître un 4 Finger ou un 4 Bounty ! Ce sont mes chocolats préférés.
Soudain, je me rends compte combien ma remarque peut être blessante. Il a pensé à m'offrir un cadeau. Il est d'ailleurs le seul, à part maman – je ne compte pas les douaniers ! –, à ne pas avoir oublié mon anniversaire, et voilà que j'ai l'air de me plaindre. Hé ! Je semble oublier mes nouvelles résolutions : arrêter de regarder les gens de haut et être plus sympa avec eux.
– Pardonne-moi, dis-je en lui plaquant un baiser sur la joue. Merci.
Il baisse la tête, gêné. Intimidé. Rouge de confusion.
Soudain, il se penche vers mon oreille, et je crois percevoir un « Je t'aime, Juliette ».
Ma bise lui aurait-elle donné des ailes ?

Ah non, il ne va pas se déclarer justement aujourd'hui ! J'aurais voulu un peu plus de calme dans ma vie, en ce moment.

Chapitre 25

L'occasion est unique pour rattraper le coup avec Margaux. Elle est seule, dos collé contre un arbre, plongée dans un bouquin. Pour changer.
Je m'approche d'elle et je m'assois à côté d'elle.
Allez, Juliette, lance-toi. Bavarde comme si de rien n'était. Comme s'il n'y avait jamais eu ce froid entre vous. Comme si vous vous étiez encore parlé hier.

Je prends un ton enjoué :
– Tu ne devineras jamais ce qui s'est passé au cours d'Alfonso !
Margaux relève la tête. Elle semble tomber des nues. Je ne lui laisse pas le temps de placer un mot :
– Figure-toi que Romain s'est enfin déclaré.
Un moment interdite, Margaux me fixe. Mais elle a l'intelligence de ne pas monter sur ses grands chevaux, style : « Qu'est-ce qui tu as à me sauter dessus, comme ça, après ce qui s'est passé entre nous ? »
Elle aussi attrape la balle au bond. Elle referme son livre et me sourit :
– C'est pas vrai ! Et Greg, alors ?
Aïe ! la question qui tue.
– C'est fini. Ou tout comme !
Elle lâche un « Ah ! » de soulagement. Puis :
– C'est une bonne chose. Ça s'est passé comment, la rupture ?
Ma gorge se noue :
– Je n'ai pas envie d'en parler. Pas encore. J'attends que ce soit cicatrisé.
J'ai comme l'impression que je vais attendre un bon moment ! La plaie est encore bien ouverte. Béante à souhait. Un

vrai défi pour un chirurgien de l'âme. Bref, on est loin de la cicatrisation.

Heureusement, Margaux respecte mon silence. Elle négocie un virage :

– Raconte, pour Romain. Qu'est-ce que tu vas faire ?

– Je ne sais pas bien. Je réfléchis. Qu'est-ce que tu me conseilles ?

Autant s'adresser à une pro, non ?

Chapitre 26

Je n'ai pas eu de nouvelles de Greg depuis deux jours. Ce n'est pas la première fois que ça arrive. Il m'a souvent fait le coup. Il a l'habitude de disparaître sans prévenir et de revenir, la bouche en cœur, comme si de rien n'était. Avant, je laissais un message d'amour sur sa boîte vocale. Cette fois, je n'en ai pas eu le courage.

« Excuse-moi, pupuce, m'avait-il dit après sa première absence surprise, mais des fois,

je suis tellement pris par le boulot que je ne peux pas te prévenir. » J'avais fait un peu la tête, alors il avait ajouté : « On ne va pas tourner vieux couple. Pas déjà ! »
C'est là que Greg avait décidé qu'on serait indépendants, qu'on ne s'immiscerait pas dans la vie de l'autre. Avoir toujours des comptes à rendre, c'était ce qui pourrissait ses relations avec sa mère, soi-disant. Il n'était pas avec moi pour vivre la même chose que chez lui. Logique ! À présent, je comprends combien ça l'arrangeait. Ses absences subites facilitaient sa double vie. J'étais tellement amoureuse que j'acceptais tout de lui. Je gobais tous ses mensonges... Du moment qu'il me revenait !
Ce soir, Greg m'appelle :
– Salut, ma pupuce adorée. Je passerai te chercher demain au bahut. Pas de nouvelles ?
Je traduis : « Toujours pas reçu ma lettre de Bogota ? »
Je ne sais pas quoi répondre. Je n'ai pas encore eu le feu vert des douaniers.
Je joue les naïves :
– Ah ! Les dernières nouvelles ? J'ai eu une bonne note en maths. Et j'ai vu un super-film...

Il m'interrompt :
– On parle de tout ça demain, ma puce. Il faut que je te quitte.
Bien sûr, il a mieux à faire puisque son charmant petit facteur de seize ans n'a rien pour lui !

Chapitre 27

Aujourd'hui, Romain s'est assis à côté de moi à chaque cours. Il a été adorable, attentionné, toujours à prévenir mes désirs. Il m'a parlé normalement, sans suffoquer d'émotion à chaque mot, comme auparavant. Comme si, soudain, je ne l'impressionnais plus. Comme si j'étais devenue accessible. Il s'est même lancé :
– Tu veux venir avec moi au ciné, samedi ?
Oh là ! Tout doux ! Je ne sais pas ce que je

veux. C'est trop tôt de toute façon pour commencer quelque chose. J'attends d'avoir réglé le problème Greg. Je suis encore trop fragile.
Et puis, Romain, il a l'air vraiment accro. Si je ne l'aime pas, à quoi bon le faire souffrir ? Sous prétexte qu'on m'a fait souffrir, moi ? Je n'ai pas envie de jouer à « passe à ton voisin ».
Je ne comprends d'ailleurs pas qu'il se soit amouraché de moi à ce point. Il m'idéalise. Je ne vaux pas le quart de l'admiration qu'il me porte. Un jour, c'est sûr, je vais le décevoir. Alors, il me tournera le dos. Deux échecs la même année, je ne le supporterai pas.

À la fin des cours, je suis là, devant le collège. Margaux et Romain bavardent ensemble près de moi. Je ne participe pas à leur conversation. Je n'arrive pas à les écouter. Mon esprit est ailleurs, absorbé par une hypothèse que les douaniers ont oublié d'évoquer. Imaginons une erreur de procédure, ou que sais-je… Bref, imaginons que Greg soit relâché. Il va revenir me voir, persuadé que je ne suis au courant de rien. Comment, sans me griller, refuser de parti-

ciper de nouveau à son petit trafic ? L'idéal serait que je lui dise que tout est fini entre nous. Comme ça, il ne cherchera pas à me revoir, et il ira pêcher une autre victime. Mais quelles raisons invoquer ? Vite, il faut que je trouve les arguments. D'ici quelques minutes, Greg va surgir sur sa moto. Il va vouloir m'emmener avec lui. Qu'est-ce que je vais faire ? Je ne supporte déjà plus qu'il me parle. Alors me laisser toucher ! Et quand il voudra m'embrasser ? Beurk ! Dire que j'aimais tant ça avant ! À présent, rien que l'idée m'écœure.
Ça y est. La moto apparaît au coin de la rue. Le cauchemar roule vers moi, s'arrête au bord du trottoir. J'ai les mains moites. Je ne me sens pas bien. Greg ôte son casque et m'adresse son plus beau sourire. C'est vrai que c'est un mec superbe, vraiment craquant. Mais je ne craque pas. Je ne bouge pas.
Le visage de Greg se fige. Il s'attend à ce que je coure vers lui et que je lui saute au cou, comme d'habitude. S'il savait comme j'ai plutôt envie de l'étrangler !
Je ne bronche pas. Mes jambes sont en ciment, mes pieds soudés au bitume.

Comme dans un brouillard, j'entends la voix de Margaux :
– Tiens, il est encore là, celui-là ? Je croyais que c'était fini entre vous !
Greg me fait un signe de la main, s'impatiente. Je reste toujours immobile. Je le sens bouillir. Il finit par descendre de la moto. Il s'avance vers moi. Maintenant, l'affrontement va commencer. J'ai peur. Pire, je suis totalement paniquée. Ma gorge est sèche, la tête me tourne. Je vais me répandre en purée sur le trottoir.
Il faut que je me ressaisisse. J'ai besoin de soutien, sinon je vais m'évanouir. Vite, j'attrape la main de Romain pour me donner du courage. C'est venu tout seul, comme si je sentais qu'il était le seul à pouvoir me sauver. J'ai besoin de m'accrocher à quelqu'un pour trouver la force d'affronter Greg.
Romain se laisse faire. Il serre ma main dans la sienne. Ses yeux brillent.
– Qu'est-ce que tu fabriques, pupuce ? Je suis là, tu ne m'as pas vu ou quoi ?
– Si, je t'ai vu.
– Et alors ! Je t'attends. On y va.
– On va où ?

– Je sais pas. Où tu veux. Chez toi…
– On ne va nulle part. C'est fini, nous deux.
Ça y est, c'est dit. Greg tombe des nues. Margaux est tout aussi surprise que la scène de rupture se passe sous ses yeux. Elle pensait que c'était déjà consommé. Quant à Romain, il prend du poil de la bête. À mon grand étonnement, il s'écrie, avec une voix assurée :
– Tu ne vois pas qu'elle est avec moi !
– Qu'est-ce que c'est que ce plan ? commence à s'énerver le bellâtre, faisant mine d'ignorer l'existence de Romain.
Je ne savais pas, il y a encore une seconde, ce que j'allais inventer. Mais, de voir Greg ainsi devant moi me fait réaliser tout d'un coup combien je le hais. Devoir me retrouver seule avec lui m'angoisse.
Comme un chien affolé, j'aboie. Agresser pour ne pas être agressée :
– Rien, tu m'agaces. T'es jamais là. Tu m'appelles quand ça t'arrange. Je ne suis pas un objet qu'on prend et qu'on jette. Je ne suis pas ta chose.
Au pied du mur, les mots ont fini par me venir à l'esprit. Ouf ! J'ai peut-être exagéré

les griefs, mais il fallait que ça ait l'air d'une rupture, quand même ! Du même coup, je règle le problème de Romain. Autant descendre tout de suite du piédestal sur lequel il m'a installée. Oui, je suis une fille capable de piquer des colères. Et s'il me trouve odieuse, ça lui remettra les idées en place sur la Juliette de ses rêves. Il n'empêche qu'il me sauve la vie avec la perche qu'il m'a lancée. Je confirme à Greg :
– De toute façon, comme tu vois, j'ai quelqu'un d'autre.
Et je désigne Romain.
– Quoi ? Ce gringalet ?
Greg s'esclaffe. Il hurle de rire. Comme si c'était la meilleure blague qu'on lui ait jamais faite. Je le trouve soudain vulgaire. Et je n'apprécie pas qu'il se moque ainsi de Romain. Humilier les gens, ça ne semble pas le troubler. Décidément, il a un cœur dur comme la pierre.
– Au moins, il a mon âge et les mêmes préoccupations que moi. Et lui, je peux le voir toute la journée sans attendre son bon vouloir. Il n'a pas son portable pour me sonner.
Romain me sourit, sans comprendre ce qui se passe. Moi-même, je serais incapable de

lui expliquer ce qui arrive. D'ailleurs, je ne suis plus moi-même. Je ne contrôle plus ni ce que je fais, ni ce que je dis. Je me laisse guider par les mots qui sortent tout seuls de ma bouche. Margaux-l'intello dirait que c'est mon inconscient qui parle.

– Qu'est-ce que c'est que cette histoire? s'énerve Greg.

Sans que je m'y attende, mon futur-ex m'attrape par le bras. Il m'entraîne de force avec lui. Sous l'effet de la surprise – et de la violence du geste –, Romain a lâché ma main. Il n'a rien pu faire me retenir.

– Du calme! On va en discuter ailleurs, si tu veux bien. Monte.

Greg me force à grimper sur sa moto. Il ne prend même pas le temps de me donner un casque. Hop! Il démarre. Il conduit mal, nerveusement. Pourvu qu'il ne provoque pas d'accident.

Chapitre 28

Je me sens devenir agressive. J'ai envie de mordre. Mon instinct de survie se mettrait-il en marche ? Quoi qu'il en soit, je suis tellement remontée que je n'ai plus peur de Greg. Ah ! Il aimait quand on endossait les costumes de quelqu'un d'autre ? Il aimait jouer, inventer des situations ? Je vais lui en donner, de la comédie !
Scène de rupture : Dindon-de-la-farce contre Bellâtre. Avantage : Dindon.

Greg a préféré que le match ait lieu chez moi. Il ne se voyait pas affronter un esclandre au bistro. Même au Rocamadour, son fief. Et comme on ne peut pas aller chez lui, lieu sacré… Je suis donc en terrain connu.
Je me montre ferme sur le « tout est fini entre nous ». Je reste impassible, glaciale. Heureusement, Greg n'a pas la mauvaise idée d'essayer de me prendre par les sentiments.
Non, il est calme, la tête froide. Il n'a pas l'air plus malheureux que ça de la fin de notre prétendu amour. À aucun moment il ne me déclare qu'il m'aime ni que je lui manquerai. Pour une fois, il ne me ment pas.
Comme pour m'excuser, je dis :
– Ça devenait trop compliqué. C'était pas pour moi, ces histoires ! C'est trop tôt, je n'ai que seize ans. J'avais déjà battu mon record avec toi. Plus de trois mois, tu ne te rends pas compte ! C'était une éternité !
Il lâche, amer :
– T'es bien comme toutes les filles de ton âge. Un vrai cœur d'artichaut.
J'en rajoute dans le genre gamine immature :

– Ce n'est pas ma faute si je suis tombée amoureuse de Romain !
Il encaisse le coup, l'air soucieux. Je sais bien que cela ne lui fait nullement de la peine. Ce qui le tracasse, c'est la came. Comment va-t-il aborder le sujet ?
– Bon, d'accord, on en reste là, puisque c'est ton choix. En revanche, comme tous les couples qui se séparent, il faut qu'on règle les derniers détails du quotidien.
On y arrive !
– Je n'ai pas de chaussettes ici, ni d'autres affaires. Mais il y a une lettre qui doit atterrir chez toi pour moi.
J'affiche un air offensé :
– Quoi ? Je te dis qu'on se quitte et, pour toi, il n'y a que tes scoubidous qui comptent ?
Maligne, la Juliette ! Du même coup, je lui fais croire que je ne suis au courant de rien.
À son tour de paraître offusqué :
– Tu devrais être contente. Je ne te retiens pas. Je te laisse libre. Je ne fais pas de scandale !
C'est trop facile ! Il se met dans le rôle de la victime. Mais, moi, je veux le laisser mariner, lui donner des sueurs froides. Le

voir paniquer; le regarder devenir vert, blanc; décomposé. Me venger, quoi!
Je n'ai plus du tout peur. Qu'est-ce qu'il peut contre moi, de toute façon? Rien! Tant qu'il n'aura pas récupéré sa cocaïne, il n'a aucun intérêt à m'envoyer au cimetière. Et puis, je n'ai pas le choix. Il y va de mon avenir et de ma tranquillité.
Je mens effrontément:
– Moi qui pensais que tu allais me supplier, te jeter à mes pieds, crier: «Non, ce n'est pas possible, ne me quitte pas, je t'aime trop!»
Tout en disant cela, je prie pour qu'il ne le fasse pas. Mais je sais que je peux y aller à fond dans l'exagération. Je ne risque rien, il ne reviendra pas en arrière. Je suis trop versatile, trop insupportable. Je joue les odieuses à la perfection.
Il me répond, avec sa voix toujours calme, sans émotion:
– D'accord, je te le dis: ne me quitte pas.
J'ai mal jugé l'oiseau! Il est coriace. Me voilà dans de beaux draps maintenant. Comment m'en sortir? J'aboie:
– C'est trop tard, il fallait le dire avant!
Greg ne sait plus sur quel pied danser. Il

lève les yeux au ciel :
– Mais qu'est-ce que tu veux à la fin ?
Ce que je veux ? L'exaspérer. Qu'il ne sache plus où il en est. Qu'il n'ait plus envie de me revoir. Jamais. Je dis tout et son contraire. Un petit pas à droite, deux grands pas à gauche. Il faut qu'il doute. Qu'il se sente perdu. Qu'il paie pour ce qu'il m'a fait.
Un silence. Puis :
– Bon, pour la lettre, qu'est-ce que tu proposes ?
Je monte de nouveau sur mes grands chevaux :
– Quoi ? Tu remets ça ? Tu es vraiment un fumier. Dire que je culpabilisais de te laisser tomber ! Je ne regrette rien, maintenant. Tire-toi !
Il se jette sur moi et m'attrape par les poignets. Il les serre de toutes ses forces. Mince ! Je suis allée trop loin ! Attention à ne pas monter la sauce ! Réglons vite le problème de la lettre, sinon il risque de me frapper :
– Je te l'envoie chez toi. Ou en poste restante. Je m'en fous. Je ne veux plus entendre parler de toi, ni de ton courrier !

Lâche-moi, pauvre con.

Je sais bien que je vis dangereusement, mais c'est plus fort que moi. C'est tellement bon de le voir s'angoisser ! Qu'est-ce que ça libère !

– Tu ne vas pas faire ça, Juliette !

Sa voix est grave, impressionnante. C'est la première fois qu'il ne m'appelle pas pupuce.

Bien sûr que non, je ne vais pas faire ça, puisqu'on a prévu autre chose avec les douaniers, imbécile ! Mais j'avais trop peur que tu cherches à me recontacter !

Ses mains ne lâchent toujours pas mes poignets. Au contraire, elles les enserrent plus fort. J'ai mal à en hurler, mais je me retiens. Le regard que pose Greg sur moi est noir, perçant, menaçant. Il me pétrifie. Je me rappelle soudain la phrase de Rossignol : « Attention, il peut devenir très dangereux. »

Vite, machine arrière ! Si je persévère dans mon désir de vengeance, je vais finir par faire échouer le plan des douaniers. C'est très agréable de voir Greg souffrir, mais il ne faut pas oublier le principal : le flagrant délit.

– D'accord, je vais te rendre ce dernier service. Dès que je reçois ta lettre, je t'appelle. Tu viens la chercher, et je ne te revois plus jamais. Tu sors de ma vie, définitivement !
Il acquiesce, me lâche enfin les poignets. J'ai gagné.
Il murmure :
– Tu vois qu'on peut s'entendre.
– Maintenant, dégage.
Greg ramasse rageusement son blouson et quitte ma chambre en claquant la porte.
J'écoute la moto démarrer, puis s'éloigner.
Je reste un moment dos collé contre la porte, soulagée. J'ai affolé Greg. Je l'ai vu blêmir. Je l'ai vu paniquer, complètement terrorisé. C'était bien son tour ! Je suis vengée. Je vais mieux. Beaucoup mieux. Je l'ai eue, ma revanche ! Comme c'est bon !
Voilà, j'ai préparé le terrain. Les douaniers peuvent donner le coup d'envoi. Psychologiquement, je suis prête !

Chapitre 29

Je viens de raccrocher. Je tremble comme une feuille. J'entends encore la voix de Rossignol résonner dans mes oreilles. C'est pour demain. J'ai le trac, la peur de ma vie. Et si j'échouais ? Si Greg échappait au guet-apens des douaniers ? S'il devinait tout et revenait me tuer ? Et si ? Et si ? Et si ?
Calme-toi, Juliette, ça va aller.
Je ricane :

– Oui, ça va aller comme une lettre bourrée de drogue à la poste !

N'empêche ! Toute la journée, je me sens liquéfiée. Les mains moites, les jambes en coton. Au bord de l'évanouissement.

Romain s'installe à côté de moi à tous les cours. Il ne me lâche plus depuis que j'ai attrapé sa main hier.

Qu'est-ce qui m'a pris de m'accrocher à lui ? Me voilà engluée dans une histoire que je n'ai pas désirée et qui me dépasse. Puis-je revenir en arrière sans lui briser le cœur ? Et si je me laissais tout simplement faire ? Maintenant que j'ai mis un doigt dans l'engrenage, pourquoi ne pas y mettre le bras tout entier ? Pourquoi ne pas me laisser porter par les événements ? Je ne connais personne de plus attentionné que Romain. Et le regard qu'il pose sur moi est tellement émouvant !

Une drôle de réflexion me vient à l'esprit. C'est bizarre, à chaque fois que je me retrouvais avec Greg, je n'arrêtais pas de me préoccuper de Romain. De ce qu'il penserait s'il me voyait, de ce qu'il aurait fait, lui. Je mettais sans cesse Romain et Greg en parallèle. Alors peut-être suis-je un peu

amoureuse de Romain ?
Ah ! Romain ! Quand il m'adresse la parole, c'est toujours avec gentillesse. Il ne me réclame jamais rien. Il ne cherche pas à aller plus vite que la musique. Pas comme l'autre bellâtre, qui s'est jeté sur moi au premier rendez-vous. J'apprécie ce début en douceur.

À présent, je reprends le bus avec Margaux.
– Tu avais complètement disjoncté, ma pauvre ! commente-t-elle.
Je bafouille comme un enfant pris la main dans la boîte de bonbons :
– Oui, je m'excuse.
C'est vrai que j'ai été odieuse avec elle. Du jour au lendemain, je l'ai abandonnée comme une vieille chaussette. Comme mon père nous avait laissées, ma mère et moi. Je me fais honte.
Margaux-l'intello ramène une nouvelle fois sa science :
– Tiens, j'ai lu un truc dans un livre. Ça m'a fait penser à toi. C'est exactement ce qui t'est arrivé. Ça s'appelle une passion. C'est totalement dévastateur. On se laisse entraîner. On n'est plus soi-même. On ne

réagit plus normalement. Ça détruit tout sur son passage, comme un cyclone. Mais on ne peut rien y faire. Du coup, quand je suis tombée là-dessus, j'ai mieux compris ton attitude.

Et moi, je vais finir par comprendre pourquoi mon père a perdu la tête pour une jeunette.

– Tu ne m'en veux pas, alors ?

– Non, parce que tu es redevenue comme avant. Mieux qu'avant, même.

C'est vrai ; j'en ai bavé, alors j'ai grandi. J'ai mis un pied dans le monde des adultes. Je m'en serais bien passée ! Ah ! Si j'avais pu m'en abstenir encore quelque temps !

*

Je suis chez moi. Je viens d'appeler Greg. Les douaniers sont en planque dans leur voiture banalisée.

J'entends la moto s'arrêter devant la maison. Greg sonne. J'ouvre la porte. Mon cœur cogne contre ma poitrine. Je tiens l'enveloppe à deux mains. Avec une seule main, Greg risquerait de s'apercevoir combien je tremble.

– Merci, me dit-il.
– C'est ça. Va-t'en, on n'a plus rien à se dire.
Son regard est froid, distant, insensible. Il me confirme qu'il ne m'a jamais aimée. J'ai envie de pleurer.
Le piège peut maintenant se refermer sur lui.
Je meurs de curiosité, mais je ne peux même pas le suivre des yeux. Les douaniers me l'ont interdit afin que Greg ne se doute de rien. De toute façon, Rossignol a promis de m'appeler après, pour tout me raconter. J'attends fébrilement en priant pour que le traquenard fonctionne comme prévu.
Deux heures plus tard, le téléphone sonne. Je me précipite.
– C'est Rossignol. Je t'appelle pour t'informer, et te remercier. On l'a eu. On a réussi à le coincer avec la came sur lui ! Il va en prendre au moins pour cinq ans. C'est en grande partie grâce à toi. Merci.
C'est gentil de me valoriser. Ça me remonte le moral, même si je ne suis pas dupe. Tout le travail délicat, ce sont les douaniers qui l'ont fait.
– Comment ça s'est passé ?

– Tout s'est déroulé selon notre plan. Notre voiture l'a bloqué. Sa moto s'est couchée sur la chaussée. On est sortis de la voiture, et, comme son bras saignait un peu, on lui a proposé de le conduire à l'hôpital. Bien sûr, il nous a demandé de le laisser tranquille. Il disait qu'il allait se débrouiller tout seul. Quand on a insisté, il s'est finalement mis à hurler. Karim a dit : « On voulait juste vous aider. Mais vous avez un comportement bizarre. Contrôle des papiers. » La suite : classique. On l'a embarqué. Il croit à un fâcheux concours de circonstances.
Je souffle, soulagée :
– Merci de m'avoir fait confiance.
Rossignol m'avoue :
– Pour tout te dire, on ne t'avait pas entièrement fait confiance. On t'a surveillée et mise sur écoute pour être sûrs que tu ne nous doubles pas. Tu aurais pu vouloir protéger Greg. Mais tu as été correcte. À présent, tu es blanchie !
Il rigole. À cause du surnom qu'on donne à la drogue : la « blanche ». On dit aussi le « sucre ».
Je me sens comme le sucre. D'aspect solide

quand il a fallu affronter Greg, je suis en réalité friable, fragilisée par cette épreuve. Prête à fondre comme un canard dans un café.

J'ose une dernière remarque :

– Il y a quand même un problème. C'est mon nom qui est inscrit sur l'enveloppe. Je ne vais pas avoir d'ennuis ?

– Quelle enveloppe ? Il n'y avait pas d'enveloppe ! Que des sachets de cocaïne.

Je devine à sa voix qu'il sourit, complice :

– Oublie cette histoire, et bon vent !

Chapitre 30

J'ai pris un nouveau départ. J'ai coupé ma mèche rebelle ; elle me rappelait de trop mauvais souvenirs. Nouvelle vie, nouvelle coiffure.

J'ai retourné les événements de ces dernières semaines dans tous les sens. J'ai beaucoup réfléchi, et je me suis dit que non, finalement, je ne suis pas en sucre. Je me sens forte. L'expérience Greg m'a endurcie, et je m'en suis bien sortie. Je me suis

prouvé que je pouvais me défaire de son emprise. Que moi seule dirigeais ma vie. J'ai confiance en moi. J'ai envie d'aller de l'avant. Je veux vivre une vie de fille de seize ans, bien dans sa peau.
Je devrais me méfier de tous les mecs ; je devrais leur en vouloir, mettre en doute chacune de leurs paroles. Mais je n'y arrive pas avec Romain. Lui, il est différent des autres. Il semble encore plus sensible que moi.
Romain et Juliette ! C'est mignon, n'est-ce pas ? Ça ne vous rappelle pas quelque chose ? Pourvu que notre histoire ne finisse pas aussi mal que l'autre tragédie ! Mais non, il n'y a pas de raison. Nos parents ne sont pas opposés à notre liaison, et ils ne se détestent pas depuis la nuit des temps. D'ailleurs, ils ne se connaissent pas ; ça simplifie les choses. Maman a tout de suite été enchantée par Romain lorsque je le lui ai présenté entre deux services à son restaurant. Elle m'a confié : « Il a l'air bien élevé », ce qui, paraît-il, doit être pris pour un compliment.
Je croyais Romain insignifiant. En réalité, il est très attachant. Il m'offre des fleurs,

m'appelle tous les soirs à la maison avant de se coucher pour me souhaiter bonne nuit. Quand il sent que j'ai un coup de blues, il essaie de me faire rire afin que j'oublie mes chagrins. Je m'étais totalement trompée sur son compte.

Margaux se moquerait : « Quand on dit qu'un type est différent des autres, c'est qu'on en est amoureuse. »

Suis-je amoureuse de Romain ? Sans doute. Même si je ne veux pas foncer tête baissée dans une nouvelle aventure. Notre relation ne ressemble pas à la folle passion que j'ai connue avec Greg, mais c'est mieux ainsi. C'est certainement ce dont j'avais besoin. Ce que je sais, en tout cas, c'est que je suis bien avec lui. Que nous réserve l'avenir ? Nous le verrons bien. Nous n'avons que seize ans, après tout.

Il n'y a qu'une chose à laquelle je tienne : qu'il ne m'appelle jamais pupuce !

FIN

Cœur Grenadine

301. MON DOUBLE ET MOI
302. LE SECRET DU ROCKER
303. UN GARÇON DANS LE DÉSERT
304. LA FILLE SUR LE PLONGEOIR
305. UN DUO D'ENFER
306. DESTINATION SYDNEY
307. ÉCHEC ET... MATHS
308. RÊVES D'HIVER
309. PETITE SŒUR
310. UN GOÛT D'ORAGE
311. UNE ANNÉE EN GRIS ET BLEU
312. EN ATTENDANT L'AUTOMNE
313. NE ME DITES JAMAIS « JE T'AIME »
314. MENTEUSE !
315. BLEU COMME LA NUIT
316. MUSIQUE À CŒUR
317. C'EST MOI QUI DÉCIDE
318. LE GARÇON QUE JE N'ATTENDAIS PAS
319. C'EST LE VENT, BETTY
320. NON, PAS LUI !
321. LE CAHIER D'AMOUR
322. MA VIE RÊVÉE
323. UN CARTON JAUNE POUR DEUX
324. LA JALOUSE
325. BONS BAISERS DE BRETAGNE
326. UN ÉTÉ ORAGEUX
327. AMOUR ET MENSONGES
328. SVEN ET MARIE
329. EMBRASSE-MOI !
330. COMME CHIEN ET CHAT
331. LA COURSE AU BONHEUR
332. LES AMOUREUX DU SQUARE
333. LE SECRET DE LÉA
334. LES FANTÔMES DU CŒUR
335. JE NE SUIS PAS EN SUCRE !